*Heureux! trois fois heureux! l'homme fait (…)
qui conserve jusque dans sa vieillesse les amitiés,
certaines amitiés de son enfance.*

Jean Éthier-Blais
Les Pays étrangers

Du même auteur

Inutile et Adorable, roman, Montréal, Cercle du Livre de France, 1964.

À nous deux, roman, Montréal, Cercle du Livre de France, 1965.

Les Filles à Mounne, roman, Montréal, Cercle du Livre de France, 1966.

Le Journal d'un jeune marié, roman, Montréal, Cercle du Livre de France, 1967.

La Voix, roman, Montréal, Cercle du Livre de France, 1968.

L'Innocence d'Isabelle, roman, Montréal, Cercle du Livre de France, 1969.

L'Amour humain, scénario, Montréal, Cercle du Livre de France, 1969.

La Marche des grands cocus, roman, Montréal, Éditions de l'Homme et Paris, Éditions Albin Michel, 1971.

Gilles Vigneault, mon ami, portrait, Montréal, Éditions La Presse, 1972.

Moi mon corps mon âme Montréal etc., roman, Montréal, Éditions de l'Homme et Paris, Éditions Albin Michel, 1974.

Les Cornes sacrées, roman, Paris, Éditions Albin Michel, 1976. Prix France-Canada et Prix du gouverneur général du Canada.

Le Cercle des arènes, roman, Paris, Éditions Albin Michel, 1982. Prix France-Canada et Prix du gouverneur général du Canada.

Pour l'amour de Sawinne, roman, Paris, Éditions Sand et Montréal, Libre Expression, 1984.

Les Sirènes du Saint-Laurent, récits, Montréal, Éditions Primeur, 1984.

Chair Satan, roman, Montréal, Éditions du Boréal, 1989.

La Danse éternelle, roman, Montréal, Éditions Trois, 1991.

Le Retour de Sawinne, roman, Montréal, Éditions Québec/Amérique, 1992.

Gaïagyne, roman, Montréal, Éditions Québec/Amérique, 1994.

Gilles Vigneault
mon ami

Données de catalogage avant publication (Canada)

Fournier, Roger, 1929-
    Gilles Vigneault, mon ami
    Édition précédente: Montréal : Éditions La Presse, 1972.

    ISBN 2-7604-0486-2
    1. Vigneault, Gilles, 1928- 2. Chanteurs - Québec
(Province) - Biographies. 3. Poètes - Québec (Province) -
Biographies. I. Titre.

PS8543.I42Z67 1995   C841'.54   C95-940388-4
PS9543.I42Z67 1995
PQ3919.2.V53Z7 1995

LA PREMIÈRE PARTIE DE CET OUVRAGE A ÉTÉ PUBLIÉE UNE PREMIÈRE FOIS, SOUS LE
TITRE *GILLES VIGNEAULT, MON AMI*, AUX ÉDITIONS LA PRESSE EN 1972.

Les photos contenues dans ce livre proviennent des archives personnelles de Gilles
Vigneault et de Roger Fournier à l'exception des photos de Jean Claude Labrecque
(p. 140, 166, 171, 200 et 207) et d'Arthur Lamothe (p. 24, 25, 121, 126) qu'ils
nous ont gracieusement permis de reproduire.

Photo de la couverture: Paul Gélinas
Conception graphique et montage: Olivier Lasser

*Les éditions internationales Alain Stanké bénéficient du soutien financier du Conseil
des Arts du Canada pour leur programme de publication.*

ISBN 2-7604-0486-2

Dépôt légal: premier trimestre 1995

Roger Fournier

Gilles Vigneault
mon ami

NOUVELLE ÉDITION AUGMENTÉE

Stanké

Gilles Vigneault, à l'âge de cinq ans.

Préface
de la présente édition

Mon cher Gilles,

L e petit Marcel a commencé son roman-fleuve en écrivant: «Longtemps je me suis couché de bonne heure». Moi, j'ai envie de commencer cette lettre en te disant: «Longtemps j'ai regardé le nord». À Saint-Anaclet où je suis né, à côté de la grande maison que tu connais, construite sur une côte, je regardais le fleuve et sa rive nord; par beau temps, je pouvais voir les toits de Baie-Comeau briller au soleil, de même que le mur de pierre qui joue au rempart à Forestville. Pendant toute mon enfance, j'ai été fasciné par ce spectacle éblouissant, par cet immense entrecuisse qui accouche de milliards et de milliards de mètres cubes d'eau chargée de vie pour les faire rouler vers l'océan. Si je tournais la tête légèrement à droite, mon regard se trouvait dans l'axe de Natashquan. Mais, à l'époque, je ne savais pas que Natashquan existait. Or, tu étais là, sur ton bord du fleuve, là où la rive sud est invisible tellement il est large. Nous avons donc en commun une certaine expérience de la démesure. L'immensité. L'infini. Cette chose pas très facile à gérer se trouve dans notre inconscient depuis la plus tendre enfance. Aujourd'hui, je crois pouvoir affirmer qu'elle nous a servi de tremplin à tous les deux. C'est peut-être un peu à cause d'elle que nous nous sommes reconnus, d'ailleurs. Alors, je dis un gros merci à ce qui reste de Dieu dans le monde mais surtout au hasard, pour nous avoir fait naître dans le pays des excès... Pour employer le mot à la mode, je devrais dire de l'orgie...

Au cours des 10 ou 12 dernières années, nous ne nous sommes pas perdus de vue, mais nos rencontres ont été très très rares. Il ne s'agit pas d'une rupture, mais de quelque chose qui ressemble aux itinéraires capricieux de certaines rivières. Nous savons tous les deux que notre amitié pourrait résister à toutes les tempêtes. Puis, il y a un peu plus d'un an, le hasard a voulu que je te donne à lire *Les Sirènes du Saint-Laurent*, l'un de mes livres qui n'est pas un roman mais qui parle de la terre et de ceux qui devaient la travailler à la main, avant l'arrivée du tracteur. À partir de là, nous avons eu des contacts plus fréquents, ne serait-ce que pour échanger de vieilles citations latines au téléphone. N'était-ce pas une manière de renouer avec nos jeux d'étudiants, alors que nous avions la citation facile? Il est bien normal que nous ayons la nostalgie de ce temps-là, étant donné que notre bagage d'humanités, ce que nous avons appris au cours classique, ne sert plus à rien...

Sur ces entrefaites, Alain Stanké m'a téléphoné pour me dire qu'il voulait rééditer *Gilles Vigneault mon ami*, que j'avais publié en 1972. Je l'ai relu, je nous ai retrouvés dans nos culottes de jeunes garçons enragés de beauté et j'ai trouvé qu'il y avait là un matériau intéressant. J'ai donc accepté la proposition d'Alain Stanké, mais il est évident qu'on ne peut pas republier le livre tel quel, 22 ans plus tard. J'ai changé et toi aussi. Du moins, je l'espère! Je te fais donc mes commentaires sous forme de lettre. D'ailleurs, il y a plusieurs années, nous avions évoqué la possibilité de faire comme les grands et de publier notre correspondance... Cette lettre pourrait être le coup d'envoi! Sait-on jamais...

Préface
de la première édition

Mon cher Gilles,

En guise de préface à ce petit machin qui parle de toi, je mets la main à la plume par le truchement de la machine à écrire, pour te frapper de quelques mots...

Je me suis aperçu qu'il est plus difficile de parler des gens que l'on connaît bien que de ceux que l'on connaît peu. Ce serait à peu près comme bien faire l'amour à une femme que l'on fréquente depuis trop longtemps! Excuse la comparaison mais, comme j'ai la réputation d'être un écrivain érotique, il faut que je soigne cette image. Pourtant, j'ai voulu écrire à ton sujet comme on fait un acte d'amour, au sens le plus large du mot. Ce qui n'empêche pas la lucidité. Du moins le souhaité-je et l'espéré-je avec force!

Plutôt que d'écrire un roman, fâcheuse habitude que j'ai prise il y a quelques années, j'ai décidé de parler de toi; et de moi, un peu, forcément. Cela peut paraître bizarre, au moment où le Québec essaie de secouer les colonnes qui soutiennent sa petite charpente. Pourquoi ne pas parler du syndicalisme, de la grève de la Fonction publique, du séparatisme ou du français langue de travail? Ne sont-ce pas là sujets à beaux discours et profonds propos? Mais oui, de merveilleux sujets, et faciles apparemment puisque les journaux en sont pleins! Eh bien! si on se bouscule dans ces coins-là pour palabrer, je laisse les autres à leur plaisir et je parle de toi.

Je parle de toi plutôt que de ces choses dans lesquelles on s'engage, comme je parle de la mort, de la femme, du mystère de l'érotisme et de l'amour. Car notre problème politique en est encore un d'identité. Identité que nous ne définirons jamais par le choix d'une forme nouvelle de gouvernement; identité que nous fabriquerons par la poésie, le roman, la peinture, le théâtre et même la télévision. En un mot, par tout ce que produit le créateur. Voilà donc pourquoi il est aussi important de parler de toi, ou d'écrire un roman, que de parler du Parti québécois (encore faudrait-il que j'en sois capable). Ce qui fait que la France est la France, ce n'est pas seulement une suite d'événements comme la Révolution française, plusieurs guerres, Napoléon, les IVe et Ve Républiques, c'est aussi une brochette de noms merveilleux comme Villon, Rabelais, Racine, Molière, Diderot, Baudelaire, Verlaine, Rimbaud, Cendrars, Apollinaire. Comment tous les nommer, ces phares?...

Il me paraît donc primordial que tu continues à écrire des poèmes plutôt que de faire des discours politiques sous prétexte que tu es une vedette et que cela aiderait la cause. Cette fameuse cause sera bien capable de profiter de ton œuvre en temps opportun. Rien de plus opportuniste, justement, qu'une cause. Que tu sois une vedette ne change rien à mon propos: comme on dit vulgairement, c'est ton problème. Je sais que c'en est un. Ce que j'ai voulu, c'est te replacer dans cette époque qui fut la nôtre afin de te retrouver à ce moment où le mot *poète* était chargé d'un certain sens. (Quelques gouttes d'envie et une larme de mépris...) L'important, pour moi, c'est que ce temps fut celui où nous entrions en contact, dans l'univers fermé de notre pensionnat, avec ce qu'on appelle la vie de l'esprit. Il me paraît indéniable que les petits événements qui ont tissé la trame de notre longue amitié donnent une couleur particulière au sens des valeurs qui était le tien, le mien, le nôtre. Depuis ce temps de dortoir, de confessions et de messes diluviennes, de chasse aux masturbateurs, bien des choses ont changé au Québec, malgré notre parenté avec Maria Chapdelaine. Le goupillon ne bat plus la mesure de notre tite toune et le gouvernement a terminé son long monologue, empoisonné par sa propre salive. Mais le sens des valeurs qui était le tien, à cette époque où tu te découvrais, a-t-il changé?

Voilà la question à laquelle je voudrais bien que tu répondes, en guise de conclusion aux quelques pages que voici, qui tentent de raconter comment tu étais au temps où Tino Rossi régnait en maître sur nos ondes et dans le cœur de nos mères, de nos sœurs, des bûcherons, des ouvriers, de tout le monde.

S'il est difficile d'aimer, comme tu le chantes avec raison, il n'est pas facile non plus d'être un véritable ami. Cela, tu le sais certainement aussi.

Pourtant, si nous avons raté des tas de choses chacun de notre côté, je suis persuadé que nous avons réussi notre amitié. Peut-être, justement, parce que nous avons accepté d'être différents l'un de l'autre, malgré tout ce qui nous unit.

Salut! Les bourgeons sont sur le point d'éclater et je ne veux pas oublier que nous avons crié de joie tous les deux, simplement parce que nous étions en vie.

Ton ami,
Roger
(1972)

J e serais un horrible paresseux si je ne profitais pas de cette deuxième édition de *Gilles Vigneault mon ami* pour y apporter mon grain de sel 1995. J'ai connu Gilles Vigneault en 1945, au Petit Séminaire de Rimouski. Aujourd'hui, il est reconnu comme un très grand poète dans toute la francophonie et, avec ses chansons, il a dit ou nommé une grande partie des vérités qui se cachent dans l'âme de tous les Québécois. J'ai eu la chance inouïe d'être le premier à l'écouter lire ses poèmes, dans la cour de récréation, alors que nous étions des adolescents. Cette petite voix a grandi et a traversé les mers. Je me considère donc comme un être privilégié.

Dans cette nouvelle édition du livre que j'ai publié en 1972, j'ajouterai donc mes commentaires en deuxième partie (p. 141), car il est évident que je ne peux plus avoir exactement le même regard sur tous les sujets abordés à l'époque.

En 1972, à peu près au moment où nous lancions *Gilles Vigneault mon ami*, j'ai tourné un film sur lui pour Radio-Canada. Je me rends compte que cela constitue l'un de mes plus beaux souvenirs. Je raconterai l'histoire de ce tournage à la fin de cette nouvelle édition (p. 167).

Première partie

Gilles Vigneault, à l'âge de 15 ans.

Le collège

S i j'ai bien observé ce qui se passe, les pensionnats ont tendance à disparaître. Il se trouve que nous avons maintenant un ministère de l'Éducation, et que ce ministère signe des contrats avec des chauffeurs d'autobus: ça fait de la gagne. On charrie donc les jeunes sur des distances sibériennes pour les amener au pied de la colline inspirée, cette Delphes miniature qu'est la chaire du maître. Et le soir, nos enfants gâtés sont ramenés au sein de leur famille, dernière des cellules sociales à ne pas être démembrée officiellement. Tant mieux si c'est un progrès! Dois-je y croire? Tout ce que je sais, c'est que, selon le mot de quelqu'un dont j'ai oublié le nom, nous sommes condamnés au progrès.

La radio et la télévision passent leur temps à nous dire que le monde actuel change rapidement, de sorte qu'on se dépêche de tout oublier pour être à la page. Mais le pensionnat, il faut bien le rappeler, a existé sur une vaste échelle: le temps du cours classique, réservé à des jeunes gens privilégiés – on nous l'a si souvent répété que j'ai fini par le croire – n'est pas si loin. C'était le temps qu'il faisait encore sur notre instruction dans les années quarante et cinquante. Hier!

Je crois qu'un homme qui est passé par le collège, pensionnaire ou non, et qui, parvenu à l'âge adulte, gagne sa vie doit tourner la page, tout simplement. Pour sa santé mentale, il me paraît nécessaire de laisser tomber cette partie de soi-même, comme le serpent qui change de peau, afin de mieux foncer vers le futur. À pleins gaz! Personnellement, je crois avoir réussi à le faire assez bien. Mais il s'agit d'un acte de volonté. Au fond de nous, l'expérience vécue au pensionnat est toujours là, dangereusement chargée de sens, car ce que nous sommes aujourd'hui, nous l'étions alors en puissance, en devenir (rien que d'écrire cette petite phrase me rappelle mon professeur de philosophie). Comme elle est fragile, notre carcasse intellectuelle!

C'est donc avec appréhension que je retourne vers cette période de ma vie. Avec le sentiment d'ouvrir un livre usé, un vieux journal dans lequel j'aurais écrit des choses qui, aujourd'hui plus qu'alors, peuvent me mettre à nu. Et si j'ai tendance à ne pas avoir peur de quiconque, il est à peu près certain que j'ai peur de moi-même.

Critiquer les institutions d'enseignement par lesquelles on est passé a toujours été de bon ton. Cela fait adulte, cela fait moderne, cela fait d'avant-garde et tout ce que vous voudrez quand on a la certitude d'être devenu un homme. Comme on s'acharne à cracher sur tout ce qui a touché à son adolescence! Je l'ai fait moi-même, à l'occasion. Bien. Cette crise étant passée, il faut admettre que gueuler contre ces institutions, c'est tomber dans le cliché. C'est à peu près enfoncer des portes ouvertes. Pour la bonne raison que les institutions, religieuses ou autres, qui nous ont formés ne pouvaient pas être autres que ce qu'elles étaient. Ou à peu de choses près. Ces maisons d'enseignement classique venaient de loin. Je serais presque tenté de dire du monde occulte. Non mais, est-ce qu'elles ne descendent pas en ligne directe de ce temps où le savoir était réservé à une poignée d'individus qui avaient bien envie de le garder pour eux seuls? Toujours est-il que les hommes qui étaient là-dedans, nos maîtres, valaient ce qu'ils valaient comme maîtres, mais que pas un ne manquait de générosité. Ainsi, tout ce qui est dit dans ce livre, soit par Vigneault soit par moi, ne doit pas être considéré comme une critique hargneuse du Petit Séminaire de Rimouski, où je suis arrivé au début des années quarante et où Vigneault se trouvait déjà depuis deux ans.

Je crois qu'il n'y a rien que j'aie détesté autant que cette époque de ma vie, surtout les quatre dernières années. Et cela n'enlève rien à la plupart des prêtres qui se trouvaient là, qui nous encourageaient, qui se dépensaient pour nous, à peu près sans salaire. Eh oui, sans salaire! Il fallait le faire! Il fallait surtout croire en quelque chose.

Donc, il n'est pas question de critiquer. Je veux, simplement, rapporter les faits, selon la bonne volonté de ma mémoire. Or, on sait que la mémoire est faussée par les sentiments, que, suivant ces derniers, on embellit ou on enlaidit. C'est un peu comme cela que naissent les légendes. Notre Petit Séminaire de Rimouski était pourri, mais pas plus que les autres. Et sans pourriture, pas de germination!

Il était une fois, comme on le disait au temps où toutes les histoires finissaient bien, ma première année de pensionnat. Je suis allé, un jour, à l'infirmerie à cause d'un rhume quelconque, très probablement pour me faire mettre des gouttes dans le nez, à même la bouteille qui servait aux 500 élèves de la maison. Là j'ai vu, étendu sur un lit, un grand garçon qui pleurait. Un jeune abbé infirmier s'est penché sur lui et lui a posé des questions. Alors j'ai entendu cette voix pour la première fois de ma vie, cette voix déchirée qui chante aujourd'hui:

– J'ai reçu une balle de baseball à la cheville.

Moi, j'ai remarqué le *i* piqué, fermé, ténu. Ce gars-là avait un drôle d'accent. Il m'intéressait. Mais, comme il m'avait précédé de deux ans, il se trouvait en Méthode, donc dans la grande salle, du côté des grands, et je fus un an sans le revoir.

L'année suivante, l'abbé Georges Beaulieu, responsable en grande partie de la culture que nous avons acquise au Séminaire de Rimouski, eut l'idée de monter *Joseph,* l'opéra de Méhul. Ce fut l'événement artistique du siècle au Séminaire. On en a rêvé et parlé pendant des années. Il paraît que c'était une réussite. Je ne sais pas ce qu'en aurait pensé le directeur du *Metropolitan* de New York. L'important, c'est que cette superproduction a fait rêver des enfants enfermés pendant longtemps, leur a ouvert l'esprit, le cœur et peut-être un peu les yeux.

Or, un jour que je flânais du côté de la salle des fêtes, j'ai vu, du haut d'un couloir qui faisait le tour de la scène,

Vigneault qui peignait un morceau de décor. Il sifflait, bien sûr, et avait l'air très heureux d'accomplir ce travail, qui pour lui n'en était pas un parce qu'il touchait à ce domaine que certaines personnes ont tant de difficulté à respecter: l'art. Je l'ai regardé assez longuement: déjà il avait commencé à publier des poèmes dans *La Vie écolière*, le journal du collège. Pour moi, qui étais encore à la petite salle et qui étais absolument incapable d'écrire un vers, il était déjà quelqu'un. En tout cas, il était un gars pas comme les autres. Cela, on le sentait déjà, même de notre côté.

Enfin, l'année suivante, je passe en Méthode, du côté des grands (moi qui domptais des chevaux et labourais depuis deux ans au moins). Les premiers mois, je me contente de le regarder de loin, lui que ses condisciples appellent, dérisoirement, le poète. Lui, il est de plus en plus poète: dans tous les numéros de *La Vie écolière*, on trouve un de ses textes. Bien plus, lors de la dernière séance organisée par l'abbé Beaulieu pour nous distraire de cet ennui qui nous colle à la peau comme trois millions de sangsues, il a lu quelques-uns de ses vers.

J'ai voulu voir passer le temps
Sans m'asseoir au bord de l'automne
Sans entendre les chants qu'entonne
Un collégien sur ses vingt ans

Je n'ai plus voulu qu'on encense
Mon mal tragique et superflu
Et n'ai plus voulu voir non plus
La dégoûtante adolescence

De nos romans à bon marché
Sentant le tabac et la gomme
Que les bistrots nous offrent comme
Si c'étaient fruits à rechercher.

J'ai trouvé vraiment bête et triste
D'en voir s'extasier encor
Sur le «J'aime le son du cor»
D'un cœur de doux séminariste

Et j'ai vomi mon mépris noir
Sur mes poèmes de cet âge
Composés au cinquième étage
D'un célèbre mauvais manoir

Où j'ai contracté ce microbe
Qui me fait aimer et souffrir
Sans jamais vouloir découvrir
Le poison pour venger l'opprobe.

Gilles Vigneault
(Inédit, époque du collège)

Alors, je décide de lui parler, à ce gars pas comme les autres qui est souvent seul parce que ses condisciples le raillent facilement (à cet âge-là, on est assez libre pour être sans pitié). Mais il y a un problème d'abordage: on n'aborde pas un poète comme n'importe qui! Mon bon sens paysan me dit qu'il faut frapper juste. Surtout, sans cérémonie! J'ai horreur des manières. Je suis un garçon simple! Direct! Un soir, au cours de la récréation, tandis que nous patinons pour nous maintenir en santé et, surtout, pour dépenser cette énergie dont les adultes qui nous entourent ont l'air d'avoir si peur, je lui administre ce qu'on appelle gracieusement un *body check*. Mine de rien, je le prends de biais avec mon épaule d'acier et l'envoie embrasser la bande à 3 mètres. J'ai 17 ans, il en a 18, je pèse au moins 13 kilos de plus que lui, et c'est avec joie que je le vois se relever (il aurait pu y rester!) pour m'engueuler de la plus verte manière: que je suis un gros tout ce que vous pouvez imaginer de plus sale, que je ne sais pas vivre et tout et tout. Il a le ton geignard des opprimés, de ceux qui sont au fond de la cale. Mais ce n'est pas le moment de m'attendrir. Je suis content parce qu'il me parle, à moi, son cadet de deux classes, lui qui fait des vers, lui qui est en Belles-Lettres, où, paraît-il, il n'y a que poésie, littérature, audition de musique, humanisme. Et tout ce que je trouve à dire pour l'arrêter de crier, c'est: «Excuse-moi, je voulais te parler.»

PHOTO: ROGER FOURNIER

«Dans la grande salle d'étude vide, où nous ne devrions pas être, une amitié vient de naître.»

22

Je ris bêtement, ce qui n'arrange rien, et il me faut une bonne dizaine de minutes pour le calmer. J'y parviens en lui disant:

– J'ai quelque chose à te montrer...

Finalement, nous quittons la patinoire. Je l'emmène à la salle d'étude. À la fin de l'année précédente, j'ai eu un prix, à peu près comme tout le monde. Quelque chose d'extraordinaire que je vais traîner dans ma malle pendant des années: trois recueils de poésie précieusement rangés dans mon pupitre. Voilà le trésor qui s'offre à la vue de Gilles quand je soulève le couvercle de mon bureau. Il regarde ça avec une certaine curiosité. Ce qui l'intéresse, ce ne sont pas tellement ces vieux recueils de poèmes, assez mauvais pour la plupart, que mon attirance pour les vers. Et je le regarde, et il me regarde. Il me semble, dans ma naïveté d'adolescent encore à peu près illettré, que ce moment de ma vie est important. J'ai raison: dans la grande salle d'étude vide, où nous ne devrions pas être, une amitié vient de naître.

Je ne sais pas ce que les autres ont écrit sur l'amitié. Je ne connais que cette phrase, de Montaigne, je crois: «Parce que c'était lui, parce que c'était moi.» Il est bien fâcheux d'avoir des prédécesseurs! De toute façon, au moment d'en parler, je me sens dépourvu. Muet! Comme Jean Bourgeois! Je dirai seulement que cette amitié, qui dure encore, a été la seule grande amitié de ma vie. La plus profonde. Elle a rempli des mois, des années, d'une longueur atroce par ailleurs. (Pour Vigneault, comme pour n'importe quel humain qui réfléchit, le temps a toujours été un problème majeur et, au temps du Petit Séminaire, il avait déjà commencé à peser sur lui.) Il s'agit de ces années pendant lesquelles il fallait se forger une âme, une culture, se délier la langue et l'esprit. Travail que nous avons accompli avec passion, liés tous les deux contre les autres, contre ceux qui ne sentaient pas, qui ne vibraient pas comme nous.

Car l'heure était à la vibration, à la grande sensibilité, cette chose si particulière à certains adolescents et que nos professeurs appelaient de la sensiblerie, avec une nuance

La mère de Gilles Vigneault.

de mépris dans la voix. Pourquoi? Parce que ça conduit directement au péché de la chair. C'est très simple! Et si nous sommes en train de faire notre cours classique, «c'est pour avoir des âmes fortes, des âmes d'élite, capables d'affronter les problèmes aigus de notre future vie d'hommes responsables, médecins, avocats et, suprême don du ciel, prêtres». En 1972, cela se passe de commentaires.

Notre amitié se soude donc dans la poésie, la musique, la littérature. Nous ne voulons pas être contre le reste du monde, mais nous avons le sentiment d'être, tout naturellement, à part. Tous les jours de l'année scolaire, nous marchons tous les deux; nous arpentons la grande cour de récréation, en long, en large, en long, en large et en biais. Cela va durer quatre ans. Quatre ans pendant lesquels nous forgeons une amitié qui durera malgré le temps, les séparations et certaines divergences de vues tout à fait normales.

Le père de Gilles à Natashquan.

Comment est-il, physiquement? Un grand garçon terriblement maigre au visage «en queue de bardeau», comme dirait mon père. Si jamais le mot *dégingandé* a eu un sens, c'est bien pour le décrire à cette époque. Il ploie, s'étire, penche, s'incline, saute et rebondit, comme si ses genoux étaient des ressorts incontrôlables. Déjà, ses longs bras dessinent des sparages. Il gesticule, se désarticule, fait le clown; grâce à ses lèvres minces, il siffle des notes très aiguës d'une justesse extraordinaire. Il a le nez généreux, l'œil bleu et perçant, la tête garnie d'une abondante chevelure qu'il aime faire voler au vent, à la manière d'un Rimbaud. Comme tous les élèves de la maison, il porte la fameuse redingote bleu marine à nervures blanches, ornée d'un ceinturon vert.

Psychologiquement? D'abord, tellement différent de tous les autres qu'il m'est difficile de le classer dans une catégorie quelconque. Il ne voit pas les choses du même œil que ses condisciples, dont le plan de vie est tracé d'avance: ils seront médecins, avocats, hommes d'affaires, notaires ou prêtres. Leur passage au Séminaire les prépare automatiquement à une vie d'hommes respectables et, en général, bien rémunérés. Mais Vigneault ne fait pas partie de ce monde organisé. Parce que ses parents sont pauvres, il n'est pensionnaire que grâce à la bienveillance de Mgr Labrie, de Baie-Comeau. À part la prêtrise, que tout le système du Séminaire lui présente comme un grand cadeau du ciel (encore une charité), il n'a sa place nulle part. Déjà, il se sent maudit par le destin. Alors, abreuvé de Baudelaire, de Verlaine et de Rimbaud, il cultive sa grande sensibilité. Et la tristesse, nourrie d'ennui, l'accable pendant des semaines entières.

Il faut dire que cela l'a saisi dès sa première année à Rimouski, quand il s'est vu prisonnier des murs de brique. La mer lui a manqué tout de suite, à 13 ans, presque autant que sa mère. Le dimanche, ses condisciples reçoivent la visite de leurs parents. Lui ne reçoit personne. Toujours rien. Seulement les lettres de sa mère. De longues lettres d'une belle écriture, dans un français impeccable, des lettres qui lui parlent de ce qu'il aime, de ce qu'il ne voit plus. L'ennui s'installe en lui, se creuse un trou. Un trou énorme qui sera cimenté par les premières vacances de Noël. Pour aller chez lui à cette occasion, il faudrait faire 800 km. Mais c'est l'hiver et Natashquan est isolé du reste du monde. De toute façon, même s'il y avait un avion pour y aller, il n'en aurait pas les moyens. Ainsi, avec deux ou trois camarades qui sont dans la même situation que lui, il passe les vacances de Noël étendu sur les bancs de la salle de jeu, pleurant, avec, sans doute, le sentiment d'avoir été abandonné par le monde entier. Plus que jamais, il est appelé par le large et la plupart de ses premiers poèmes seront chargés de cette nostalgie. Nostalgie de ce qui est lointain. Très tôt, il connaît tous les synonymes du mot *ennui* et, un jour en classe, les énumère l'un après l'autre à son professeur Georges Beaulieu. Quand il me raconte cette anecdote, Gilles est très fier de son exploit, probablement parce qu'il a noté le regard bienveillant de Ti-Georges, qui le comprend bien, lui!

En faisant la connaissance de Gilles, j'apprends l'existence de Natashquan, comme le pays le fera 20 ans plus tard, puis l'Europe. À Natashquan, il a un père, une mère et une petite sœur qu'il aime. J'apprends que six autres frères et sœurs sont morts en bas âge, épreuve que ses parents ont traversée avec courage. J'apprends la pauvreté de son milieu. Nécessité fait loi: j'ai une mystique de la pauvreté. Tout cela est parfait! Nos deux milieux sont proches parents par leur dénuement et leurs sacrifices. Tous les deux, nous aimons les grands espaces, les grandes quantités, les grands arbres, le soleil, la lune, les nuages, l'herbe, le vent, l'eau, la terre. Je lui parle de nos champs, des moissons, de mes 17 frères et sœurs. Je lui parle de mon père. Il me parle de son père, des poissons, de la grande mer, de la plage aux sables infinis. Nous mélangeons la terre et la mer. Nos taureaux et nos étalons finissent par nager au large de l'île d'Anticosti! Car tout doit retourner à la mer! Nous aimons! Et nous sommes prêts à aimer tout ce qu'on nous offrira de beau. Comment ne pas devenir amis dans de telles conditions!

Souvent, aux heures de récréation, il se retire dans le coin le plus reculé de la cour et regarde vers le nord, vers le large. Il aspire l'air qui vient de loin, de là-bas. Un jour, il va au bureau du directeur de la maison, l'abbé Raoul Thibault, pour lui demander la permission d'aller sur le quai de Rimouski.

– Pour quoi faire?

– Je veux voir le coucher de soleil.

Permission refusée, bien sûr, malgré la bonté de l'abbé, et Gilles trouve une raison de plus à son malheur. Il sait bien, d'ailleurs, que jamais un élève n'est allé demander une telle permission au directeur. Il pense, je le sens quand il me raconte cette anecdote quelques mois après notre rencontre, qu'«évidemment, les autres sont incapables d'apprécier un coucher de soleil comme je peux le faire». Il est fier de sa sensibilité, de son goût, de sa facilité à analyser les textes français qui sont au programme. Et pourtant, il a le sentiment que le monde le rejette pour d'autres valeurs, les valeurs sûres.

BERGES DE L'AUTREFOIS

Le soleil et la mer déferlaient aux galets
Où séchaient dans le vent rare qui va les grèves
Les bruns derniers carreaux des anciens filets.

Sur le miroir nombreux où trente soleils rêvent,
Les mouettes striaient le nacre de l'air dur,
Fileuses infinies d'un invisible rêve,

Qui cent fois se croisait parmi du soleil pur,
Entre les doigts jongleurs des ivres mâts tremblants;
Et je suivais, d'un œil lointain, sur fond d'azur,

Le vol de la mouette à l'évolution vague,
Au cristal des vues bleues pleines de sons troublants,
La plainte ailée planant sur le chant de la vague.

Soleils et mers encor déferlent aux galets,
Là-bas. Je ne sens plus ce vieux vent rare aux grèves,
Là-bas. Et j'ai perdu le secret de ces rêves

Qu'en ses fantasques vols la mouette filait.

Gilles Vigneault
(Inédit, époque du collège)

28

Car ce petit monde dans lequel nous sommes enfermés a son système de valeurs, système plus ou moins copié sur celui de l'autre, le vrai. Le vrai monde fonctionnant grâce à la force, à l'argent, à tout ce qui est physique: tracteurs, voitures, édifices, trains, bateaux, avions. Voilà ce que notre petit univers fermé admire de loin. Le monde en marche. Le monde qui fonctionne avec des chevaux-vapeur plutôt qu'avec des vers, fussent-ils du plus grand poète. En cela, le Petit Séminaire de Rimouski, si petit soit-il, atteint l'universel!

De nos murs, on admire les mêmes hommes que le vrai monde. Ainsi, la grande vedette de l'heure, c'est Maurice Richard: «Richard a compté», «Richard est blessé», «Dix minutes de punition à Richard». Il n'y en a plus que pour lui. Et, là, on en fait une maladie! Mais Richard est-il capable d'écrire des alexandrins bien tapés comme Gilles sait le faire? La question ne se pose pas, sauf entre nous deux. Vigneault veut bien qu'on applaudisse Richard, mais il faudrait bien en laisser pour Baudelaire, Verlaine, Rimbaud. Et, au bout du compte, il y a lui, le seul de la boîte à faire de vrais poèmes.

Or, que se passe-t-il, officiellement, en cette année de Belles-Lettres? Il reçoit, publiquement, de la part de l'Académie, ce que le grand monde appelle un soufflet: car notre préfet des études, très versé dans l'art de la copie et de la versification, dirige une académie. Une académie qui reçoit des textes et qui donne son rapport annuel devant tous les élèves réunis à la salle des fêtes, par la voix de son secrétaire. Cette année-là, Gilles a donc présenté ses plus beaux poèmes. Le secrétaire étant un élève de Philosophie très intelligent qui semble l'estimer, il s'attend à se faire proclamer grand poète devant le peuple assemblé, devant tout ce monde qui se moque de lui; à être sacré prince. Vengé! Eh bien, non! Son cas est réglé par une petite phrase dédaigneuse qui donne à peu près ceci: «Gilles Vigneault nous a présenté quelques vers, qu'il a passablement bien tournés.» Et on passe au suivant. Soirée de dégoût, d'amertume, de rage. Le lendemain, pendant toute une récréation, il me dit la bêtise «des gars qui aiment mieux les dissertations plates sur Corneille que les poèmes»!

J'ai d'abord été étonné par ce trait de son caractère: il affirme qu'il est poète et que sa poésie vaut quelque chose. Ce sont les autres qui ont tort. À sa place, moi, je souffrirais tout simplement sans oser affirmer que les autres ont tort de ne pas reconnaître mon talent. Lui, pas du tout. Il trépigne en criant: «Regardez-moi! Je suis poète! Écoutez-moi, je sais parler!»

J'abonde dans son sens pour dire que les autres sont bêtes et béotiens de ne pas aimer la poésie davantage. Mais je reste silencieux quand je l'entends dire, à peu près ouvertement, qu'on devrait reconnaître son talent. Cette attitude franche me déconcerte. Dans ma petite tête de paysan, où s'élaborent quelques douzaines de complexes infériorisants, les choses ne se passent pas de la sorte. Si je n'ose penser que Vigneault est un affreux orgueilleux, c'est que j'accepte son assurance en raison de notre amitié. Et parce qu'il est tellement différent des autres.

Je le pense et le dis à mes camarades, les deux amis de ma classe auxquels je l'ai présenté pour mieux le faire connaître. Nous voilà donc quatre à nous fréquenter assez régulièrement. Les frictions ne vont pas tarder entre les deux autres et lui. Ce sont de fortes personnalités et ils ne nourrissent pas la même amitié que moi envers le poète. Il faut plusieurs séances de conciliation pour leur expliquer que Vigneault vit dans un autre monde, à cause de son imagination et de sa sensibilité qui lui font voir et sentir des choses que le commun des mortels ne peut pas percevoir. Je réussis à raccommoder tout le monde et on se retrouve. Moi, je suis content parce que, partisan de la paix universelle, je ne sais pas encore que la guerre est naturelle à l'homme! Dans le monde d'où je sors, on nage dans l'amour, on se frôle dans l'harmonie, on se baigne dans la bonne entente, à part les haines viscérales qui peuvent amener certains paysans à s'entre-déchirer pendant toute leur vie, bien entendu.

GRIFFE

Pour le jeune homme bien rangé
Je rêve d'écrire un poème
Lavé d'azur et de bohème
Pour ne jamais le déranger.

Mal à ceux par qui le scandale
Or pour cette âme de lampion
Je cacherai le croupillon
De mon cœur... Ce méchant vandale

Et je dirai qu'il est un bon
Petit garçon sans nostalgie
Se préservant de mon orgie
Et qu'il mérite un gros bonbon

Pour avoir si bien évité
La poésie et le théâtre
Ces dangers, pour le teint bellâtre
Des angelots de pureté

Je ne dirai ni seins ni fesse...
Rien ou presque rien de travers
Me purgeant de deux ou trois vers
Qui vous l'enverront à confesse...

Gilles Vigneault
(Inédit, époque du collège)

DEUX

Vigneault et la promenade

Au fond, être l'ami de Vigneault n'était peut-être alors pas chose facile. Pour illustrer ce propos, il faut que je parle de la promenade. Penser à l'époque du Séminaire, pour moi c'est penser à la promenade. Et la promenade me fait automatiquement penser à Vigneault. C'est avec lui que j'ai déambulé le plus, quand je ne jouais pas au baseball, le seul sport pour lequel j'aie montré un certain talent. On se promenait donc d'est en ouest, du sud au nord, de jours en semaines et de semaines en mois. Les murs de notre prison, plutôt symboliques, n'en étaient pas moins frustrants. Où aller? Nous avions souvent la permission, vers la fin, quand nous avons eu l'air de jeunes adultes, de sortir en ville, mais il fallait toujours rentrer à la fin de l'après-midi. Prison en ce sens que veut veut pas il nous fallait y faire nos huit ans.

Nous marchions donc tous les deux et je parlais. Au beau milieu d'une phrase, il pouvait très bien se mettre à siffler un air de son invention.

Irritante manière de faire la conversation! Tellement irritante que la plupart de ses condisciples la jugeaient intolérable. Cela représentait quelque chose d'irréel, ne répondait pas à l'appel du solide qu'est la terre, cette vieille mère qui nous donne une impression de sécurité. Un homme normal a besoin de sentir ses deux pieds sur le roc, autrement il prend peur. Siècle de grande évolution, siècle de grande fragilité, siècle de grande peur. Et quand l'homme normal parle à son voisin pour lui demander sa pelle, il préfère qu'on ne lui réponde pas en citant un vers de Verlaine.

Gilles était souvent ailleurs. Cette façon qu'il avait de s'en aller est un fait sur lequel je voudrais insister, non pas pour m'en plaindre mais, tout simplement, pour dire que c'est comme cela qu'il travaille. C'est sa façon à lui de s'isoler pour créer. Ne lui demandez pas à quelle heure il écrit ses poèmes et ses chansons. Il les écrit n'importe quand, n'importe où: seul, au milieu d'une foule, dans une gare ou en face d'un feu d'artifice. Vigneault est impressionné, à la manière d'une plaque photographique, par des milliers d'événements, de couleurs, de mots, de sons, de bruits, de souvenirs; puis, vient l'instant qui ne peut plus attendre où la machine doit se mettre en marche pour organiser cette matière. Je l'ai vu travailler. Je l'avais amené à la place des Vosges, à Paris, pour faire quelques plans, parce que je faisais un film sur lui. Entre les prises de vues, il a réussi un couplet, tout en se promenant sur le trottoir. Il fallait le déranger pour le filmer!

Au cours de nos promenades quotidiennes, j'avais droit aux primeurs. Deux ou trois fois par semaine, il sortait un bout de papier de sa poche:

— J'ai écrit un poème. Écoute ça.

Et il lisait. Il avait besoin de lire à quelqu'un. J'écoutais attentivement sa voix brisée me parler en octosyllabiques, hexamètres, tétramètres ou trimètres. La plupart du temps, c'était triste. Cela parlait d'une âme mêlée à la lune, à la mer, à la terre, à un pays. Un pays qui était un petit coin de terre et que personne ne connaissait. Fidèle, Vigneault le nommait déjà. Les professeurs de faculté peuvent bien ergoter sur la valeur de ces vers d'adolescent: je m'en fous. Avec mon jugement de l'époque, je trouvais ça en général très beau. Ça chantait. La grande incantation était commencée et personne ne le savait. J'ai été le premier spectateur de cette mer qui commençait à s'agiter et qui, depuis, va cogner contre les rives d'un autre continent. Merci, mon vieux Vigneault!

Mais ce n'est pas le moment de s'attendrir! *Basta*! Le jour où l'adolescence a foutu le camp, on a beau courir après elle pour essayer de savoir exactement quelle gueule elle avait, elle court toujours plus vite que soi. Et on n'attrape le plus souvent que des odeurs, des images floues. Comme si les ondes du temps voulaient jouer au mauvais récepteur de télévision. Re-*basta*! Revenons au poète, cet homme des extrêmes. Autant ses moments de spleen sont noirs et profonds, autant sa joie éclate dans une exubérance incontrôlable. Quand il est au haut de la vague, il crie, chante, saute, turlute; il a de ces répliques qui partent en flammèches et qui font éclater le rire émerveillé des spectateurs (serait-il déjà sur scène?) Alors quelqu'un, incapable de qualifier précisément ce qu'il y a en Gilles, laisse tomber: «Maudit Vigneault!» Et cela veut dire: «T'es impossible, mais on t'aime quand même. T'es plus brillant que les autres, donc plus agaçant, plus dérangeant.»

Pour ébahir ses camarades et, parfois, pour lancer ses flèches, il cultive l'improvisation. Souvent, on lui dit: «Vigneault, fais-nous un poème là-dessus.»

Alors, il y va tout de suite d'un quatrain. On rit. Il y a tout de même des jours où l'on rit jaune, comme cette fois où, à table, un condisciple lui demanda de faire des vers sur les spaghettis que l'on mangeait. Sans hésitation, il improvisa une tirade qui commençait par: «De macaroniques serpents s'élaborent dans mon assiette», et se terminait de la façon suivante: «Autour des têtes de caves que vous êtes!»

Quand il était pris de rire, c'était affolant. On aurait dit qu'il perdait la raison. Un jour, pour amuser nos camarades, nous préparons un sketch à trois. Il joue, avec Hubert et moi, une petite scène absolument folle, une histoire farfelue que nous avons présentée sous forme de dialogues et dont j'ai oublié le fond. Évidemment, plus c'est gros, plus le succès est assuré. Aux sociologues de palabrer sur les besoins théâtraux des gens qui vivent enfermés. Bref, sur la dernière réplique, rires énormes, ovation. Vigneault n'attend pas la fin des applaudissements. Il sort dans le couloir et rit à se fendre en quatre. Il se jette par terre, se roule, gigote, crie, se dérate complètement, comme si nous venions de réussir le gag du siècle. Un bon prêtre passe près de lui par hasard, le voit se rouler par terre et continue son chemin sans comprendre. Gilles est possédé d'un diable étrange...

Cet abandon total à la chose du moment, son moment à lui, est l'un des traits les plus caractéristiques du personnage. C'est à cause de cela qu'il peut être ailleurs tout en étant près d'un camarade ou au milieu d'une foule. Et qu'y a-t-il de plus beau qu'une grande soif, fût-elle condamnée par le monde dit organisé? Vigneault veut avaler toute la joie de la terre d'un seul coup, de même que toute sa peine. En dehors de cela, il n'y a que le raisonnable, cette pourriture à laquelle nous a conduits ce qu'on appelle la civilisation.

Parmi les sujets de tristesse qui ont meublé nos conversations, se tient la fameuse histoire de la musique:

– Qu'est-ce que tu voudrais faire, plus tard?

– Chef d'orchestre.

La musique, chose à laquelle il ne peut que rêver. Elle l'habite, mais comment songer sérieusement à devenir musicien, enfermé qu'il est dans cette boîte, brimé par l'impossibilité d'apprendre le piano? Chez lui, à Natashquan, il y avait l'harmonium, sur lequel il jouait à mains libres. Ici, au collège, il y a plusieurs pianos et un professeur. Mais pour prendre des leçons, il faut de l'argent. Or, ce métal lui est

aussi invisible que nécessaire. Par ailleurs, il sem-
blerait qu'on lui ait arbi-
trairement refusé lesdites
leçons. En tout cas, il avait
toutes les raisons du
monde de pleurer. Cela a
duré des années. Puis, un
jour, il a enfin pu s'ins-
crire. Mais le destin était
là qui veillait, la gueule
ouverte, pleine de grandes
dents pourries: ça n'a pas
marché. Je ne sais trop
pourquoi. Il était trop
tard, peut-être, et son
manque de discipline était
probablement insuppor-
table à ce professeur aux

Chef d'orchestre!

doigts courts, pour qui une mesure n'avait rien d'élastique. Je
crois qu'il était en Rhétorique quand l'idée des leçons de
piano a été enterrée définitivement.

Restaient les ersatz, comme la fanfare, joyeusement
appelée l'Harmonie Sainte-Cécile, dans laquelle il jouait
du piccolo. Gilles aimait les morceaux de bravoure. Cela
lui permettait de briller quand on jouait devant les élèves,
dans les grandes circonstances. Mais les gars qui écrivent
les parties de piccolo ont l'étrange manie de vouloir faire
entrer des montagnes de notes dans des petites mesures
de rien du tout... Pour exécuter ces fioritures de rossignol,
cela demandait parfois une virtuosité que notre poète
n'avait pas. Alors, il baissait légèrement son petit instrument, ce que personne ne voyait, et sifflait sa partie.

Sans trop nous en apercevoir, nous sommes arrivés,
comme tout le monde, à la fin de la guerre. (En passant,
pour vous montrer combien le Bas-du-Fleuve est loin de
tout, je voudrais vous signaler que les bienfaits de la dernière guerre sont arrivés chez nous seulement vers 1945-

1946. Ça nous a permis de faire beaucoup de confitures aux fraises... En effet, comme toutes les familles du Bas-du-Fleuve comptaient au moins 12 enfants, elles avaient droit à une grande quantité de tickets de rationnement et elles achetaient plus de sucre qu'elles n'en avaient besoin. Mais ce que je voulais dire c'est que, la guerre finie, l'armée de réserve continua quand même d'être à Rimouski et la fanfare du Séminaire d'avoir le droit d'en faire partie. Encore l'un de ces bienfaits que le gouvernement fédéral a toujours su répandre sur nous! Cela donnait à chaque membre la somme fabuleuse de 50 $ par année. Je me souviens d'avoir été l'un des derniers à pouvoir m'y inscrire, et d'avoir entendu un officier dire à mon voisin, refusé: «L'armée, c'est pas une crèche!»)

Hélas pour nous, c'en était une! Quoi qu'il en soit, notre fanfare était dans l'armée et nous portions le costume kaki, les bottes, tout l'attirail. Cet accoutrement avait le rare mérite de nous différencier des autres, les jours de parade. Notre directeur, l'abbé Charles Morin, dirigeait en effet des exercices en vue des grandes manœuvres du 11 novembre. Il fallait alors se former en peloton et obéir aux ordres que l'abbé Morin lançait d'une voix magnifiquement ferme. Discipline et tenue étaient la règle tandis que retentissait l'«*Attention!*» classique. En anglais, ce qui était tellement plus efficace!

Mais comment faire tenir Vigneault au garde-à-vous? Sa tête dodelinait toujours, ses genoux ployaient sous un poids mystérieux – un piccolo ne pèse pourtant que quelques kilogrammes – et ses bras ballaient, agités, attirés vers des pôles inconnus. Alors, des rires moqueurs déchiraient l'air pur de la cour de récréation. Rien de plus incongru que ces rires, qui fendaient l'âme de l'abbé Morin, homme droit et sans méchanceté aimant l'ordre, l'un de ceux, avec l'abbé Georges Beaulieu, qui ont aidé Gilles à traverser la difficile période du pensionnat. Grâce à lui, Vigneault a pu s'affirmer, tenir tête au reste de notre petite tribu, exprimer franchement à la face de tous qu'il était poète, ne pas trop souffrir d'être pauvre, de venir de cette partie du pays si éloignée qu'elle touchait au Grand Nord, là où il y a même des «sauvages». D'ailleurs, j'ai souvent entendu ses condisciples crier: «Vigneault, maudit sauvage!»

Un enfant qui joue est presque toujours sans pitié. Le jeu, c'est sa guerre à lui.

Pour remplacer les cours de piano, il y avait aussi la chorale du collège, dirigée par l'abbé Raoul Roy. Mais cette voix! La voix de Vigneault n'était pas une voix: c'était une extinction, un déraillement perpétuel. Comment mêler cette chose aux doux accents des petits anges qui arrivaient chaque année en Éléments latins, dont la voix n'avait pas encore mué? Celle de notre poète s'est transformée depuis le jour où il a commencé à chanter. Elle s'est affermie, endurcie, ennoblie, si je puis dire. Cela suppose un travail acharné qui lui fait honneur. Pourtant, l'abbé Roy se laissa fléchir, lui qui avait le cœur si tendre, et au cours de ses dernières années à Rimouski Vigneault put chanter des cantiques, des psaumes et certaines belles œuvres profanes que la chorale interprétait, les jours de fête. Le chant grégorien nous enchantait particulièrement. Comment oublier la messe de requiem, l'alléluia du vingt-quatrième dimanche après la Pentecôte, et tant d'autres pièces encore? Pour Gilles, ces airs anciens avaient un charme extraordinaire. Et si, dans la grande salle de récréation, il gueulait un requiem, un *Salve Regina* ou un alléluia, c'était qu'il était apte à percevoir ce qu'il y avait de profond dans ces mélodies venues d'un âge mystérieux et lointain. Harmoniques nostalgiques? Oui, cela et quelque chose d'autre, quelque chose d'ineffable. Alors, je rêve d'un œil et je vous dis que la musique grégorienne est une musique toute nue. Chaque fois que vous la chantez, vous dessinez d'une ligne pure une belle âme dans les airs et cette âme s'en retourne dans le passé. Très loin. Là où il y avait de l'eau pure, du vin, de l'herbe, des fruits, des êtres qui savaient regarder le soleil monter dans le ciel. Époque où l'on mûrissait grâce à la conscience du temps. Chant grégorien qui apaise, parce qu'il donne la possibilité de regarder le temps en face, qu'il enlève la peur provoquée par sa fuite. (Vous n'êtes pas obligé de me croire et vous pouvez continuer à faire du yoga.)

Enfin, pour combler cette lacune musicale, il y avait chez Gilles sa personnalité marquante et son sifflet. Quand il ne sifflait pas des airs de Mozart ou de Bach, dont les fugues l'enchantaient, Vigneault sifflait ses propres compositions, des airs qui semblaient lui venir tout naturellement et qu'il fleurissait de nombreuses fioritures. Puis, à la manière des chefs d'orchestre panachés style Stokowski, il dirigeait de ses longs bras un orchestre imaginaire, fendant l'air, secouant la tête au gré des rythmes qui l'emportaient. Je crois que c'est en lui-même qu'il a trouvé sa plus grande compensation. Pendant toutes ces années, il a rêvé l'impossible, envers et contre tous, accroché à cette pensée merveilleusement exprimée par Villon:

«Tant crie-t'on Noël qu'il vient.»

Et c'est venu. D'ailleurs, on peut supposer que s'il compose, c'est justement parce qu'il a été privé de musique quand il était jeune. Les exemples ne manquent pas, même parmi ses confrères, de gens qui avaient beaucoup de talent, qui ont eu toutes les possibilités d'étudier l'orgue ou le piano et qui pourtant ne font rien dans ce domaine. Privé de musique, il s'en est inondé et nous en donne depuis. On peut toujours trouver bonne raison de dire merci à nos éducateurs.

TROIS

Le poète à la campagne

A u cours de l'année qui suivit celle de notre rencontre, nous eûmes droit à des vacances de Pâques pour la première fois. Natashquan ne s'en trouvait pas plus proche pour autant. J'ai donc invité Gilles chez moi. Nous avions la tête pleine de mots: *auberge, vin, estaminet, seins*, «*On n'est pas sérieux quand on a 17 ans!*», «*nuits de juin*». On ne sait pas ce que c'est en réalité, mais cela nourrit les rêves. Sortir de nos murs pour aller à la campagne pouvait donc prendre des airs d'aventure.

La grande maison de mes parents, au «p'tit troisième» de Saint-Anaclet, était pleine de garçons et surtout de filles. Ce fut une belle fête, un délire, une mer en débâcle. Bien sûr, Gilles ne pouvait faire autrement que de tomber amoureux. Et pour tomber il tomba! Ma petite sœur Rose-Andrée, qu'il baptisa Ti-Rose, grattait de la guitare, était drôlement bien tournée et ne savait que faire de ses 16 ans, perdue entre l'école, les vaches à traire et le ménage de la maison. Vigneault fit des vers, qu'on trouva adorables, beaucoup de blagues, facéties et plaisanteries qui firent mourir de rire toute la famille. En la personne de mon père, surtout, il trouva un partenaire très valable pour relancer des histoires plus ou moins rabelaisiennes. Le rire faillit nous rendre malades (Dali en serait mort de jalousie). Il charma, forçant un peu la note des éloges, et je découvris chez lui quelque chose de neuf. Quelque chose qui n'avait pas eu l'occasion de transparaître au collège: Vigneault avait tellement besoin de plaire qu'il en devenait presque flatteur. Jamais ma mère ne reçut autant de compliments sur son thé, ses tartes et son cipaille. Moi, je trouvais qu'il en

41

mettait un peu trop; néanmoins, je gardai le silence. C'était si bon de se sentir frères au milieu d'une vraie famille! Je ne pouvais savoir, à ce moment-là, que Vigneault était né pour la scène, donc porteur d'un incoercible besoin de séduire.

Quand nous sommes repartis pour la «prison», mon père, comme les camarades de Gilles, était désemparé par ses répliques et ses facéties et disait comme eux, en riant: «Maudit Vigneault!»

Ses amours avec Ti-Rose, chastes comme toutes les amours de l'époque, enflammèrent son imagination, nourrirent, pendant plusieurs lunes, ses délectations moroses. Le temps arrange les choses, mais il m'en parle encore et me montre sa photo. Léger, papillonnant, fidèle. Comment oublier les émotions de l'adolescence? Celui qui, pour avoir l'air adulte, renie cet âge tendre risque de devenir infantile plus tôt que les autres...

MES ÉCOLES BUISSONNIÈRES
DANS L'AUTOMNE

Parmi la nudité théorique des plâtres
Muraux, qui versent froids leur atmosphère aux âtres
Classiques où le maître éveille des dormeurs...
Moi, je découvre un songe en un carreau de vitre
Où des astres pleureurs vont choir comme des pitres:
Infatigables fous de cirque intérieur...
Ô l'automnal soleil... Dernières rumeurs!
Rouges neiges tombant d'anciens ciels nostalgiques
Aux murmures feuillus des ors jaunes... Magiques
Chutes des cheveux verts d'estival autrefois!
Le poème immense est achevé d'un envoi,
D'un vent d'étoiles... Mains aux chevelures d'arbres;
Oubli blanc d'un doigt froid dans la vasque de marbre;
Amour chu, te voilà, des idylles stellaires!
Voluptueuses morts à l'océan des pleurs
Qui fait songer de boire un parfum de couleurs;
Mais tombe l'ombre blanche aux nocturnes polaires...
Et sur le gel des mers scellées dans leurs horreurs
Sur l'orchestre funèbre où nos chants s'en allèrent
Voguent mes rêves morts, boréales galères,
Au vent mystérieux des houleuses langueurs.

Gilles Vigneault
(*Inédit, époque du collège*)

QUATRE

Le club des poètes

Au bout de deux ans environ, un groupe avait pris forme. Trois gars s'étaient plus ou moins attachés à Gilles et à moi: Hubert Paradis, Jacques Desrosiers et Gabriel Plante, maintenant médecins tous les trois. Cela faisait cinq têtes à part des autres...

Vigneault nous baptisa «le quatuor des cinq». Quant aux confrères, ils nous qualifiaient de «club des poètes», avec ironie ou complaisance, selon leur état d'âme. Pour être honnête, je dois dire que Gabriel Plante se sentait un peu moins

Jacques Desrosiers, Gilles Vigneault, Roger Fournier et Hubert Paradis en récréation!

soudé au groupe et qu'il s'en détachait assez souvent. Je crois me souvenir que le côté fantaisiste, irréel, clown de Vigneault lui tapait parfois sur les nerfs. Mais je suppose que tout cela n'a plus guère d'importance et j'imagine que, pour Gabriel, cela fait partie des souvenirs classiques de collège, auxquels on fait allusion en riant.

La constitution de ce groupe, lointain, éphémère, sans conséquence sur le plan littéraire, a pourtant quelque importance pour celui qui veut connaître Vigneault. Vigneault, qui, par son magnétisme, nous a tous attirés. Il aime la compagnie de ceux qui sentent comme lui. Il a besoin, instinctivement, de fonder une espèce d'Église, au cœur de laquelle les idées et les sentiments vont bouillonner, la poésie éclore. Il a besoin de sentir des frères humains autour de lui, pour parler, discuter, chercher. Chercher quoi? L'âme de l'homme. Je ne dirai jamais assez la noblesse de ce genre de préoccupations. Vigneault, sur ce point, demeure le même et il me paraît évident que c'est chez des hommes comme lui que notre monde, en marche vers la catastrophe, doit chercher des solutions. Avant d'aller vite et loin, il faudrait peut-être songer à aller au fond de soi-même. Au risque de passer pour un blasphémateur, dans cet univers hautement scientifique et technique, je dirai que le cœur de l'atome est beaucoup moins mystérieux que le cœur de l'homme. Nous sommes en train de mourir d'asphyxie, étouffés par trop de bebelles. Le SOS, c'est à des poètes comme Vigneault qu'il faut le lancer.

J'allais oublier que si je parle de notre gang de poètes collégiens, c'est pour en venir à l'aspect politique de notre aventure. Avions-nous un sens politique? Étions-nous politisés? En principe, non. En tout cas, sûrement pas à la manière des étudiants actuels. Et la raison en est très simple: nous étions en dehors du monde. Nous savions simplement que Duplessis était au pouvoir et que les députés étaient des gens sales, au sens moral du terme. D'ailleurs, la politique était sale en bloc, et il n'y avait que des gens croches pour s'en occuper. Si l'on voyait un de nos confrères en parler, en discuter avec des amis, on le trouvait gentiment ridicule. À quoi cela pouvait-il servir? Nous préférions nous borner à la musique et à la littérature. Nous avions bien une salle de lecture où il y avait plusieurs journaux dont *Le Devoir*, mais je n'y ai jamais lu autre chose que la page des arts. Je suis certain qu'il en était de même pour Vigneault. Parfois, un professeur nous incitait à connaître notre siècle, notre pays, à savoir, au moins, le sens du mot *rouge* quand il était question des Chinois. Cela nous laissait passablement indifférents. Le mal était fait, irréparable. Nous allions entrer dans le monde ignorants de tout ce qui approche le réel.

En revanche, notre univers, celui que nous connaissions, c'était le Séminaire; notre monde, c'était cela. Il avait des structures, une tête, un gouvernement qui imposait des lois auxquelles il fallait se plier. La seule politique que nous connaissions nous venait de là. À ce niveau, nous étions politisés à mort! Que de plaintes lancées à la façade de notre *alma mater*, que de cris!

– Ils nous forcent à passer dans un moule! Tout le monde pareil, comme si on était des animaux!

– Pas de liberté!

– Règlements ridicules!

– Comme si on était des enfants de cinq ans.

– On est menés comme un troupeau.

Interminable litanie de cris du cœur! Et l'on entendait certainement la même chose dans tous les pensionnats du monde, sauf dans les quelques rares institutions où on laissait les jeunes en liberté à l'intérieur des murs. Mis dans une situation semblable, nos cégépiens organiseraient des journées d'étude, se révolteraient, et tout finirait par une grève générale avec manifestations, police et matraques. Nous, nous nous sommes contentés de critiquer et de nous plaindre. Nous avons cultivé notre amertume. À cet âge-là, chez certains sujets comme Vigneault et moi, il est bon d'avoir une cause à ses pleurs: ça forme une source sûre d'inspiration! Ciel, se pourrait-il que je plaisante à ce propos?...

De discours et de palabres décousus nous avons, pendant ces six années d'internat, détruit et reconstruit plusieurs centaines de fois notre État. Rien de tout cela ne dérangeait Duplessis qui, politicien averti, faisait l'éloge de la campagne, du cultivateur, du fils de cultivateur. Il savait bien, le petit roi, que tant que le peuple resterait tranquille aux champs, ignorant, il ne serait pas dangereux. S'il savait qu'aujourd'hui on a un ministère de l'Éducation et que ses employés font la grève pour le bien du peuple!

Pendant ce temps, nos propos emplissaient les couloirs et les allées de la cour de récréation. Nos supérieurs savaient, évidemment, ce que nous pensions. Un jour, l'un de nos plus gentils maîtres de salle s'est approché de moi et, avec un sourire dans lequel je pus lire une bienveillante moquerie, me demanda:

– Puis, votre gang de poètes là, quand est-ce que vous faites sauter le séminaire?

– La semaine prochaine...

Dieu merci, nous ne l'avons jamais fait. Nous n'avons jamais fait non plus de journée d'étude, de *sit-in* ou de grève. D'abord, ce n'était pas la mode – il faut respecter le sens de l'histoire; ensuite, c'était impossible. Impossible parce que nous voulions terminer notre cours classique. Or, nous étions pauvres et aucun d'entre nous, à part quelques rares exceptions, n'avait les moyens de changer de collège. Et sûrement pas Vigneault ou moi! Or, le moindre geste de notre part, dans le sens d'une contestation organisée, nous eût balancés hors des murs que nous maudissions mais dont nous avions un besoin vital. C'eût été la fin. Aujourd'hui, il n'y aurait pas de Vigneault. Gilles serait peut-être commis, sur un bateau de la Côte-Nord, et ferait des commissions, comme Tit-Œil à mon oncle Honoré!

CINQ

Arts et spectacles

G râce à l'imagination et au dévouement de l'abbé Georges Beaulieu, que nous appelions Ti-Georges en cachette, nous avions la possibilité de voir des spectacles et d'assister à des concerts. Orchestres, instrumentistes, chanteurs. Yehudi Menuhin, Arthur Leblanc, Newmark, tous les grands noms du clavier, du gosier et de l'archet. Venaient même des troupes françaises, jouant Claudel et Molière. Et cela se passait à Rimouski! Extraordinaire, si l'on songe qu'à un peu moins de 12 km de notre salle des fêtes, à Saint-Anaclet, dans la maison de mes parents, il n'y avait même pas l'électricité. Duplessis n'avait pas encore prononcé sa fameuse phrase: «Électeurs, électrices, électricité!»

Ti-Georges a même fait venir des troupes d'opéra. C'est là que, pour la première fois, j'ai vu Jean-Paul Jeannotte, malade, aphone, disant les répliques du *Barbier de Séville* et n'en chantant que les airs connus; Edward Wooley, conducteur olympien, chef d'un grand orchestre à deux pianos. Épique! Il fallut renoncer à l'opéra après deux expériences douloureuses. Pour le reste, c'était merveilleux. Mais ce qui nous bouleversait le plus, Vigneault et moi, c'était le théâtre. Dès le début des années quarante, *Les Compagnons de Saint-Laurent* vinrent à notre Petit Séminaire. Ils y sont venus jusqu'à la fin de leur existence. Puis, ce fut le *Théâtre du Nouveau Monde*. Nous nous faufilions dans les coulisses, faisant discrètement la cour à Ti-Georges pour qu'il nous donne quelque travail à faire dans ce coin-là: déballer les costumes, monter les décors, les démonter. C'était bouleversant, passionnant, fascinant! J'eus un jour l'insigne honneur de voir Guy Hoffman se costumer avant d'entrer en scène!

Il râlait parce qu'il en avait marre de se grossir pour jouer les rôles de Molière. Georges Groulx, les frères Gascon, Francine Montpetit, le père Legault, Lionel Villeneuve, Hélène Loiselle, Yves Létourneau... quel bonheur que de pouvoir passer quelques minutes à leurs trousses, muets, ébahis, épiant le moindre de leurs gestes, admiratifs jusqu'à la stupidité! Ce furent les grands moments de notre existence au pensionnat. Nous en parlions un mois à l'avance. Tout était bien calculé par l'abbé Beaulieu pour nous faire vivre dans l'espérance: même s'il ne nous en laissait rien voir, il connaissait notre ennui. Et s'il travaillait si fort pour nous faire assister à du théâtre, c'était pour ajouter à notre culture, bien sûr, mais aussi pour nous donner du rêve à manger. Divine denrée! Il annonçait donc, un mois à l'avance, quand on s'ennuyait depuis assez longtemps, la venue d'une troupe de théâtre. Nous n'arrêtions plus de penser à la pièce à venir, d'en parler. Je me demande si les comédiens savaient jusqu'à quel point nous formions un public gagné d'avance...

Un jour, *Les Compagnons de Saint-Laurent* vinrent jouer du Molière, notre préféré. Événement doublement important pour Gilles: Ti-Georges lui demande de faire de la figuration. Cet enfant-là ne vit plus! Il grimpe aux colonnes, vole, nage dans les airs. Il n'est plus qu'un grand bonheur en agitation perpétuelle.

Le lendemain, nous marchons tous les deux sur le préau et il me raconte comment s'est déroulée l'expérience. Extraordinaire! Fantasmagorique (il aimait cet adjectif)! Et que Guy Hoffman a dit ceci, qu'il a fait cela, et que Georges Groulx, et que et que, même que Guy Hoffman lui a donné des instructions pendant la pièce, en tournant le dos à la salle; que c'est une merveille de faire ainsi et de se retourner ensuite pour lancer sa réplique! Tout à coup, l'abbé Simon Amyot sort dans la cour. C'est notre premier maître de salle et Gilles a beaucoup d'estime pour lui. Dès qu'il le voit, il fait demi-tour, va se mettre en vue de l'abbé, pivote galamment sur un pied, faisant ballonner sa jupe de redingote comme la plus coquette des petites marquises, et dit, théâtral: «On *compagnonise!*»

Jamais je n'avais vu autant de fierté, pour ne pas dire vanité, sur un visage. Un visage épanoui, éclatant de joie, de bonheur. Et je venais de saisir au vol, peut-être dans le ballonnement de sa redingote, un important aspect de sa personnalité.

Cette scène a eu lieu à la fin des années quarante. Elle fait partie de celles que je ne peux oublier. Ce jour-là, j'ai compris jusqu'à quel point Vigneault avait besoin d'être applaudi, de se montrer. Besoin de s'affirmer! «Écoutez-moi, je suis poète! Voyez comme je tourne les vers!» De se mettre à nu: «Regardez-moi. Je suis monté sur la scène; m'avez-vous vu?»

Si je raconte cette anecdote, ce n'est surtout pas pour railler le Vigneault d'aujourd'hui. Ce trait ne fait que révéler une des raisons pour lesquelles il a fini par monter sur la scène. Comme tous les comédiens du monde, comme tous les chanteurs, il est né avec le besoin d'être regardé. D'autres naissent avec un effarant besoin d'argent, de femmes ou de destruction et passent leur vie à s'en cacher. Vigneault, lui, ouvertement, candidement, avouait ce jour-là qu'il aimait se montrer, exhiber ses talents et entendre le mélodieux fracas des applaudissements. S'il y a une chose qu'on ne peut lui reprocher, c'est cette franchise. Et que celui qui n'aime pas les compliments se lève!

Je sens, ici, qu'il serait bien vu d'entonner un grand couplet sur la scène, les acteurs, le studio et tout ce mystère qui fait que le public est charmé. Comme ce cantique a été chanté par d'autres, je préfère laisser tomber. Je ne veux souligner que ceci: l'artiste est un être qui a pris le risque de vivre dans l'incertitude, à tous les points de vue.

Quand le rideau tombe et que vous l'assommez de vos applaudissements, il ne sait déjà plus comment il a dit ou chanté telle phrase. Cela demande un certain courage.

Je m'arrête là pour revenir à la franchise de Vigneault. Elle n'a pas changé depuis le temps du collège. Il se présente devant vous et dit, et fait, de même. Qu'il s'agisse de son physique ou de ses idées. En le filmant sous tous les angles possibles, jamais je ne l'ai entendu dire, comme cela se voit souvent: «J'aimerais mieux que la caméra soit de l'autre côté.» Gilles s'est admis une fois pour toutes, physiquement comme moralement. Il y a des hommes qui passent toute une vie à essayer d'en arriver à cette franchise. Vigneault semble être né avec elle sous le bras. C'était dans son gros sac, celui qu'il avait pour tout bagage quand il est arrivé en ville.

Très vite, nous avons commencé à échanger et à nous prêter toutes sortes de choses:

– Prends mon *coat* si tu veux.

– Veux-tu mes bottes?

– J'ai reçu du sucre à la crème.

– Moé, j'ai du beurre de pinotte.

– Passe-moé ta palette de balle au mur.

Vigneault était, il l'est encore, généreux. Généreux comme ceux pour qui les choses importantes ne s'achètent pas. Vigneault aime donner. Au collège, où nous n'avions rien, où tout nous venait des autres, un pot de beurre de pinotte était une vraie mine d'or. Cela n'empêchait pas Vigneault de l'ouvrir tout grand.

Et il ne le faisait pas seulement pour moi, son meilleur ami. Il donnait même à ceux qu'il n'aimait pas beaucoup. Gilles ne voulait pas être en reste devant qui que ce fût. Orgueil, noblesse ou fierté? Un peu de tout cela, probablement, avec, encore, un certain sens de la grandeur, du spectacle. Le panache ne lui faisait certainement pas peur! Mais, assez paradoxalement, il donnait avec sincérité. Ce qui peut sembler impossible aux fins psychologues, mais moi j'en suis tout à fait convaincu. Par expérience. Tout n'est pas simple chez les grands poètes...

Le Grand Mike arrive

T out d'un coup, il y eut septembre une fois de plus et les retrouvailles habituelles: l'odeur du réfectoire, l'odeur du dortoir, l'odeur des salles d'étude et de récréation, l'odeur des livres neufs et, surtout, l'odeur de la chapelle et le cantique obligatoire du soir de la rentrée: «L'ombre s'étend sur la terre, vois tes enfants en-en-en ce retour». Septembre, mois des odeurs retrouvées, malgré toutes les lessives de l'été. Ce n'était pas déplaisant car, avec le temps, cette maison était devenue un peu la nôtre: «Charogne si l'on veut, mais charogne qui m'est chère...» Non, ce n'était pas déplaisant. Seulement un peu triste. Parce que, sans le savoir, nous faisions l'apprentissage du temps. Soixante-dix jours de séparation, et nous n'avions plus la même gueule. Heureusement qu'on ne met pas le doigt là-dessus à cet âge. Et puis, il y avait dans l'air cette mollesse propre aux jours de récolte. La nature semblait échapper un long soupir d'apaisement après les efforts de l'été. Et cette peine de la terre (*ponos*) après l'accouchement vous frôle l'épiderme...

Puis, dans le brouhaha des premières heures, on avait hâte de dire aux copains combien on avait passé des vacances heureuses, avec le grand air, le tennis, la plage, etc. Moi qui passais mes vacances aux champs, j'avais l'impression que mes camarades enjolivaient les leurs. Ils avaient eu beaucoup trop de plaisir pour que ce fût vrai. J'avais été élevé dans le travail. Le travail «qui purifie, qui endurcit, qui empêche l'adolescent de sombrer dans la mollesse, le sybaritisme qui conduit au crime, qui conduit au désordre, puis à l'impureté, qui vous mène directement aux mauvaises pensées...»

Vigneault, cette année-là, entrait en Philosophie, ayant franchi le cap de la Rhétorique avec des notes convenables. Il revenait de Natashquan avec des yeux remplis de mer et la bouche pleine de propos recueillis chez ces hommes qui allaient devenir ses personnages. Il avait aussi des histoires d'amour à raconter, amours avec Rolande, Rolande qui était belle, si belle qu'elle sera plus tard dans une chanson:

Soyez Rolande elle était belle...

Rolande dont il me parla pendant des heures. Rolande, autre preuve de sa fidélité.

Nous venions donc de retrouver nos odeurs familières quand un grand gars arriva, sorti probablement du collège Saint-Laurent, pour faire sa deuxième année en Philo: Gilles Michaud. Bien planté, cheveux bouclés, blanc de teint, il marchait avec aisance, riait magnifiquement, donnait l'impression de pouvoir maîtriser toutes les situations. Il avait l'air d'un adulte tellement il faisait mûr. Premier de classe en mathématiques, il ne semblait pas bohème pour deux sous. Pourtant, il faisait des vers! Il ne fallut que quelques couchers de soleil pour qu'il se retrouve avec nous. Et pour Gilles commença l'année la plus féconde de sa vie au Séminaire. Car, avec Michaud, on ne versifiait pas seulement au gré de sa peine ou de sa joie, comme le commun des poètes. On n'écrivait pas n'importe comment, comme ces pauvres martyrs de l'inspiration qui alignent des mots pour leur tordre le cou. Il y avait des concours de sonnets! On avait du style! De la forme!

C'était donc, entre eux, à qui écrirait le plus de sonnets, de forme parfaite, dans une journée. Régnait un esprit sportif, olympique. Influence des Grecs... C'est en riant, vainqueur ou vaincu, qu'on lisait ses œuvres pendant les récréations. Bien sûr, les études en souffrirent. Mais, finalement, il y a certainement lieu de s'en réjouir car, pour quatre ou cinq syllogismes non mémorisés, on produisait deux ou trois sonnets de l'encre que voici:

CRÉPUSCULE

Mélancolique et doux, un après-midi meurt...
Le ciel est mordoré de teintes inconnues,
Et, comme le matin, peuplé d'étoiles nues,
Le soir respectueux établit sa rumeur.

Il procède en silence à son baiser charmeur
Et l'on croit voir languir, aux vastes avenues
Que le lointain bâtit, les gammes revenues
Des anciens souvenirs: transcendante clameur!

Puis quand le soir éteint dans un immense geste
Ce qui reste de jour, il éteint ce qui reste
De clair au cœur blessé par le symbole affreux

Du soleil, immolant ses merveilleux voyages,
Qui laisse un dernier soir le désespoir fiévreux
Jaillir comme un cri d'or aux lèvres des nuages

Gilles Vigneault
(Inédit, époque du collège)

ESCALE

Quand le soir est venu dans la douceur de l'heure
Exquise et tiède au sein du cristal de tes yeux
Je veux bercer mon cœur d'un destin merveilleux
Et comme un fugitif y créer ma demeure

Et je veux m'enivrer de la touche qu'effleure
Dans un jeu frémissant longtemps ton doigt frileux...
Je veux sur un chemin de velours périlleux
Consoler l'archet d'or de ton âme qui pleure

Et puiser dans ton front comme dans une eau pure
La fragilité mauve et blanche d'un murmure
Immaculé d'émoi frêle écumant et doux

Et parfois me plier soumis à tes genoux
Sans heurt le soir quand j'ai le cœur un peu bohème
Que l'heure est pleine et douce et que mon âme t'aime.

Gilles Vigneault
(Inédit, époque du collège)

Michaud fut rapidement baptisé le Grand Mike et devint tout de suite un excellent ami de Gilles. Nous les retrouverons ensemble plus tard. Moi-même, je les rejoindrai à Québec. Pour l'instant, nous jouons avec ferveur notre rôle d'écoliers qui ont l'impression de ne pas être tout à fait comme les autres. Le Grand Mike est ce genre d'adorable jeune homme qui se lève la nuit, se faufile entre les lits du dortoir, réveille Vigneault pour lui dire: «Écoute, l'air que je cherchais, je l'ai trouvé.» Et lui siffle doucement un air de musique dont ils ont parlé à la récréation, mais qu'ils ne pouvaient retracer.

Contrairement à ce que j'aurais cru, il me semble que je m'attendris, à mesure que j'avance dans ce temps passé. Et en pensant à l'anecdote du dortoir, j'ai envie de dire, tout simplement: passion naïve pour tout ce qui est insaisissable.

Dans la cour du Séminaire, nous déambulons, désarticulés, chantant, riant de tout et de rien, faisant des jeux de mots en latin de cuisine. *«Qui bloquituri te salutant»* (Ceux qui vont bloquer te saluent), crie Vigneault à Ti-Georges avant de s'en aller à un examen.

Nous parlons théâtre et musique; nous rêvons de Baudelaire, de Verlaine et de Rimbaud, nos trois grands. La petite phrase du bel adolescent qui a ébahi Verlaine: «Je est un autre» nous émerveille. En réalité, cette phrase est le commencement du voyage que nous allons faire au cœur de nous-mêmes. Qui sommes-nous? Un abîme rempli de mystères... Dès que nous ouvrons les yeux sur l'humain, la machine à comparaisons se met en marche. Voilà une toile symboliste en formation devant nous. Un nuage de sentiments emmêlés aux douleurs aiguës d'une première passion. Tout devient vague. Comme si les mots dont nous avions besoin n'existaient pas. Trop verts pour nous apercevoir que nous changeons d'un instant à l'autre, de sorte que «Je» n'est jamais le même, magnifiquement. «Je» descend aux enfers, à la recherche de soi. «Je » tourne autour de l'axe formé par la tête et le cœur, comme l'âne attaché tourne autour du puits, au bord du désert, pour en faire sortir un peu d'eau. Il fallait commencer par là: mettre les mots sur la meule et tourner. User les mots, les faire disparaître et arriver à la moelle, au cœur de l'os.

Ce travail n'est jamais fini, j'imagine.

Dans la cour du Séminaire, il faut bien passer le «temps qu'il nous reste à faire». Encore deux ans. Encore un an. Nous souffrons moins. Nous nous sommes forgé une conscience d'adultes; nous avons inventé des racines que nous faisons pousser entre les pierres de nos murs. Cela nous donne l'impression d'avoir maîtrisé la situation.

De plus, Gilles a décidé qu'il entrerait à la faculté des lettres, ce qui est certainement un sujet d'anxiété de moins. Il a subi l'assaut des retraites de vocation, et vaincu le prédicateur dans un étrange duel verbal où le sexe était symbole de damnation.

Il sera donc homme de lettres. Forcément. Naturellement. Que pourrait-il être d'autre? Il sait qu'il ne gagnera jamais beaucoup d'argent, parce que les lettres débouchent sur l'enseignement, qu'un professeur ne gagne alors que 3 000 $ à 4 000 $ par an. Qu'est-ce que l'argent? Rien. Il le méprise, tout comme Mike et moi-même. L'argent est vulgaire, tandis que la pauvreté, elle, se porte noblement. (N'est-ce pas merveilleux de voir comme l'âme humaine construit ses systèmes de défense?) Ça fourmille d'exemples où la vulgarité éclate dans, avec, par et pour l'argent.

– Un minimum suffit. Vive la vie de l'esprit.

– Ouais! Ben, tu vas crever de faim, le poète, avec tes vers, pis c'est eux autres qui vont te manger!

– J'aime mieux mourir de faim avec mes vers que de vivre dans ta graisse sale!

Le gant blanc était à la mode: on n'échangeait que délicatesses, propos de grands seigneurs, gros mots d'esprit, dans le plus pur style du grand XVIIᵉ siècle! Ô formation de nos classiques!

C'est cette année-là, je crois, que Gilles a réalisé un grand rêve: jouer un vrai rôle de Molière, sur une vraie scène, dans une vraie séance de collège. *Les Précieuses ridicules.* Entre deux condisciples déguisés en femmes, il a étalé son jabot, fait valser ses dentelles, dessiné des centaines d'arabesques dans les airs avec ses longs bras, tout en débitant les phrases du pédant classique. Ce furent des semaines de délire. Même en récréation, il se promenait affublé en un personnage différent: Mascarille, Trissotin, Don Juan ou n'importe quel farfelu théâtral. Sur la scène, il avait joué celui qui éblouit par des phrases. Une vraie griserie. Plaire, éblouir, mystifier... en un certain sens, cela faisait partie du personnage qui prenait forme en lui. Séduire! Tout, en art, est entreprise de séduction. Personne ne le lui avait dit, mais il savait instinctivement que s'adonner à ce genre de travaux est la chose la plus passionnante au monde. Se défaire de sa peau, dire des choses qui font rire, pleurer... N'est-ce pas de cette façon que l'on apprend ce qu'est le cœur de l'homme?

Dans *Les Précieuses ridicules,* il a un succès fou. Succès local, si l'on veut, mais succès qui lui est cher. Car il lui paraît logique, avec la personnalité qu'il possède, de se lancer dans la carrière de comédien. Il m'en parle souvent. Il en parle même au conseiller d'orientation qui vient de temps en temps nous faire passer

Vigneault chapeauté!

des tests. Cela ne paraît pas impossible. On rêve. Il y a pourtant un problème: sa voix éraillée: «Mais Georges Groulx a le même genre de voix, et il fait une carrière! C'est un grand artiste!» Georges Groulx est venu jouer *Les Fourberies de Scapin,* avec *Les Compagnons de Saint-Laurent.* Il nous a éblouis. Et il y a du Scapin de Groulx dans tout ce que Vigneault fait comme jeux, sur scène ou ailleurs, pour amuser.

En tout cas, il ira à la faculté des lettres à Québec, et là, «en ville», il tâtera de la chose sérieusement. Cela entretient ses rêveries, fait passer le temps entre deux cours de philo et de maths. Car le rêve lui est toujours aussi nécessaire, plus qu'avant même parce que l'ennui, quand il se présente, se fait plus grand, plus profond. Ce n'est plus seulement la nostalgie de son pays, de ses parents, de la mer et des hommes que Natashquan lui a fabriqués comme modèles. C'est encore le spleen véritable, à la manière d'un Baudelaire. Et puisqu'il est ce qu'il est, on peut se demander quelle part de jeu entre dans ce spleen alors qu'il est encore adolescent. Je n'en sais rien et je m'en fous. Rien n'empêchait Vigneault de commencer à sentir qu'il y a, quelque part au fond de sa conscience, au fond de son âme, un grand trou noir.

Conscience, âme, réalité, tout cela se confond en un trouble terriblement attirant, ressenti avec plus ou moins de force selon la sensibilité de chacun, à cet âge où l'on se débat pour se forger une carapace et faire face à ce que tous autour appellent la vie d'adulte. La sensibilité de Gilles, malgré ses origines rustiques, est faite d'un tissu qu'il faut manipuler du bout des doigts, comme de la dentelle, de la fleur de rêve, du soupir de lune, des ailes de papillon, des pétales de lis, des cils de jeune vierge. Et quand le spleen sévit, il s'étale et ravage, telle une rivière qui déborde. Gilles prend le pouls du monde, donne déjà une dimension cosmique au regard qu'il y pose.

Plus tard, à Québec, nous fîmes beaucoup de plaisanteries sur cette fameuse sensibilité. On imagina, par exemple, un jeune homme lançant, dans un salon, d'un ton très affecté: «Vous savez, moi, je suis très sensible!» Je crois même que Vigneault a effectivement prononcé ces mots dans un salon de la vieille capitale. Pourtant, à l'époque du Séminaire, la sensibilité était à nos yeux le préalable essentiel à l'homme de valeur et, par suite, un objet de recherche d'un grand sérieux.

Or, pour aiguillonner notre sensibilité, pour nourrir nos rêves, il y a les filles. Celles qui sont en fleurs. Qui que tu sois, il y a toujours quelqu'un, un bon matin, qui t'ouvre la porte du verger pendant que l'horticulteur s'amuse ailleurs. Avec les années, les règlements se sont légèrement adoucis et il est devenu possible de décrocher une permission de temps en temps pour sortir en ville. Pour aller rendre visite à un cousin, à un oncle, à une tante. On finit par avoir des tantes religieuses qu'on ne connaissait pas hier! Ou encore, il faut faire réparer le tourne-disque de la salle de lecture. Il est d'une fragilité! Toujours brisé!

Et voilà que des visages d'adolescentes se présentent, purs, profonds, désespérément attirants. Toujours ces yeux d'une profondeur extraordinaire, à s'y perdre.

Mais il n'y a pas que le sublime attaché au regard. Si chaste soit-elle, une fille se promène toujours avec ses lèvres, sa chevelure ondulante, sa gorge naissante, ses hanches roulantes, ses mollets joufflus, tout un arsenal de petits attraits diablement féminins qui mettent le feu à l'imagination mâle. Et la main du poète de tracer des vers, des mots, des soupirs, des chants trisyllabiques ou tétrasyllabiques. Le troubadour est né.

Moi qui passe plusieurs heures, chaque jour, avec lui, je sais qu'il est fait de mer et de terre. Il est de chair, pour tout dire, de cette chair que dévore le feu le plus ardent. La jeune fille le touche de façon directe, l'allume. Elle a un ventre plein de mystères et il trouve, dans son corps, une réponse naturelle à ces mystères. Une épaule, un mollet, un sein qui pointe, tout cela entre dans ses yeux comme l'huile dans un volcan. Pourtant, il ne se laissera jamais aller à parler carrément de l'amour charnel. Il est né troubadour. On le dirait issu en ligne directe d'un âge ancien, d'un quelconque Moyen Âge qui veut que la femme soit pure, belle, intouchable, tour d'ivoire, vierge et madone, inapte à la souillure de la chose. Pour lui, la femme est la dame. On lui baise la main et on part pour les Croisades. Pour en parler, il fera presque toujours appel à des mots d'un autre âge, à des formules archaïques, dans le but, j'imagine, de sublimer les relations que l'homme et la femme peuvent avoir entre eux. Respect de la femme. Respect de l'amour. Et non pas pudibonderie. L'amour, c'est la chose la plus importante au monde. Alors, pour en parler, pourquoi ne pas pencher du côté le plus noble de la langue française? Je ne veux surtout pas tenter d'expliquer ses textes. Simplement son comportement vis-à-vis de l'autre sexe. En écriture, j'entends. Fidèle à l'image qu'il s'est fabriquée. Image qu'il a la force de reconstruire chaque jour. Et qui, même agrandie, sublimée, n'en demeure pas moins vraie.

Et il y eut la jeune fille au piano. Journée d'octobre, journée de congé, je ne sais plus trop pourquoi. À la campagne, ça sentait le blé mûr, on ramassait les patates. On a les vendanges qu'on peut! Toujours est-il que nous sommes partis ensemble pour aller voir ma blonde à moi, et ses amis. Parmi eux, il y avait une jeune fille aux yeux profonds et aux longs cheveux noirs qui jouait du piano. Du Chopin! Comme ça! Elle souriait, et ses lèvres généreuses s'allongeaient sur ses dents blanches. Elle ouvrait la bouche, sa langue bougeait, et au fond de sa gorge, logeait la damnation éternelle. C'était délirant pour des gars comme nous qui ne voyions jamais de filles. Pendant que le soleil s'attardait, vers trois heures, Gilles composa un acrostiche, un œil sur le clavier et l'autre sur le banc du piano. Cela commençait d'un: «Au piano vos doigts agiles», et se terminait par: «Si vous jouiez encore pour Gilles...»

Sans cérémonie, il se mettait sur le plateau et s'offrait dans toute sa candeur. Or, la jeune pianiste fut émue aux larmes. Sensible, elle aussi! (Inévitable!) Elle pleura le *Clair de lune* de Debussy du bout des doigts. Puis, il fallut retourner à nos versions latines, écrasés sous le poids de la fatalité, emportés par notre sombre destin. Il y eut des baisers volés; des soirs de réminiscences au cours desquels on attelait son imagination au chariot de l'érotisme le plus chaste, héros de la sublimation, croisés d'une chrétienté sentimentale, chevaliers apeurés, lourds de reproches appréhendés. C'était l'apprentissage du sentiment, la culture du corps en circuit fermé. Tout partait de la tête enflammée et y revenait fatalement. Nous jouions avec un train électrique dont le parcours avait été soigneusement tracé par d'autres. Là encore, c'était le moule.

Il est doux de rêver alors que la femme est inaccessible. Plus tard, il y aurait le reste. Je n'ai surtout pas envie de décréter ici que le rêve est plus beau que la réalité, ou l'inverse.

LE SOIR OÙ VOUS M'AVEZ PLU...

Une princesse en robe à franges
Sachant rire comme jadis
Les anges du paradis
De mes anciens sommeils étranges

Vient tous les soirs (je vous le dis
Bas, rien qu'à vous) ainsi qu'un ange
Lourd de son parfum sans mélange
Bercer mes rêves attiédis

Quand je simule la fatigue
Elle confie à mon sommeil
Un fleuve de secrets sans digues

Et secrètement je navigue
Dans ce que son toucher vermeil
Garda des baisers du soleil

Gilles Vigneault
(Inédit, époque du collège)

SEPT

Le grand poème du feu

L'imagination fait faire des détours au temps, l'orne-
mente de courbes farfelues, mais ne l'arrête pas. Il
passe, froid, plein de son indifférence. Et nous restons
accrochés à son chariot, malgré toutes nos pirouettes. Si
bien que nous arrivons au 6 mai 1950 et qu'il y a le feu.
L'incendie de la ville. Fait divers qui fit sensation dans la
province entière, surprit la ville de Rimouski, l'amputa
d'une grande partie de ses habitations, bouleversa des tas
de gens, surtout ceux qui voyaient leurs maisons disparaître dans les flammes que le vent soufflait en magnifiques spirales.

Ce fut, pour Gilles et pour moi, la fin dramatique d'une
époque. Une fin. Un point noir dans le temps. Oui, vraiment la fin de quelque chose que nous avons été incapables
de définir exactement à ce moment-là, mais que nous avons
ressenti jusqu'au cœur de notre moelle épinière.

Gilles en était à sa dernière année de Philo, celle qu'on
appelait la Physique. Il se préparait lentement à passer le
bac, qui allait lui ouvrir les portes de l'Université, à Québec.
La route de l'ouest! Après, c'était n'importe quoi. La con-
quête de l'espace, la vie, l'aventure, tout excepté le Petit Séminaire!

C'était l'année mariale et nous étions en mai. Le bleu
de tous les cieux s'étendait sur nous. En ce vendredi soir,
Gilles était en train de faire ses problèmes de maths et je
commençais ma dissertation sur *Andromaque*. Il faisait un
vent d'une douceur extraordinaire, mais assez fort. Le
printemps était là. On pouvait le palper. À la récréation de
quatre heures, nous avions senti les odeurs nouvelles qui

venaient nous aiguillonner. Nous avions l'impression de nager dans la sève qui montait. Ivresse! Tout était capiteux, pulpeux comme deux lèvres qui se fendent pour laisser apparaître la chair du fruit. Et, pour la millième fois, nous avions parlé de ce fruit. Il y avait deux jeunes filles que nous aimions également et entre les bras desquelles nous rêvions de tomber, indéfiniment... Pour aller chercher du nouveau, bien sûr, comme dans l'*Inconnu* de Baudelaire!

Roger Fournier, l'année du feu...

Vers cinq heures, nous avons entendu l'alarme des pompiers. Rien de bien spécial. Oreste rimait toujours avec funeste, Andromaque disait encore des choses très sensées à Pyrrhus à propos de son fils. Il fallait que j'explique pourquoi Racine est génial. Un rien! Dix minutes plus tard, une autre alarme, puis une autre. Cinq alarmes! Et par les grandes fenêtres, on voyait les arbres se tordre. Le vent montait, comme la musique de Vigneault à la fin des *Gens de mon pays*. Alors, les 200 élèves qui étaient dans la salle d'étude ont remué, parlé à voix basse, échangé des regards rieurs: ces jeunes-là, dans un premier temps, étaient capables de se moquer de tout. De tout ce qui se passait hors de la clôture qui les encerclait. On les avait mis là pour les séparer du monde. Que pouvait bien signifier le monde pour eux? Des autobus, des camions, des automobiles, de la viande, du bois. Toutes ces choses qui ne les concernaient pas. Leur problème, c'était Racine, Lavoisier, Cicéron, Bossuet, Villon.

Seulement voilà, vers six heures, le vent s'est mis à souffler encore plus fort. D'ouest en est, poussant le feu vers l'*alma mater*. Après le souper, nous nous sommes promenés dans la cour, comme d'habitude. Le vent nous appportait la fumée en beaux gros nuages noirs. Le moulin à scie des Price Brothers achevait de brûler. Puis, tout à coup:

– Le feu a sauté par-dessus la rivière!

– Le jour où le feu va prendre dans le vieux Séminaire, ça va descendre, ça sera pas long!

On en parlait comme d'une chose à peu près impossible. À la fin de la récréation, on a sonné la cloche pour nous faire rentrer, mais on nous a dit qu'on pouvait aller secourir les Rimouskois qui devaient fuir les flammes. Instinctivement, Gilles et moi, nous nous sommes dirigés vers l'hôpital. Sans rien savoir de la vie, sinon que dans un hôpital il y a forcément de jeunes infirmières. Et dans le dictionnaire des idées reçues l'on nous a défini les infirmières comme «jeunes, jolies et... peut-être délurées»! La présence quotidienne de la mort ouvre les yeux, et certaines anfractuosités!

Il fallait tout sortir de l'hôpital. Les malades, s'entend. Les grognons, les souriants, les mourants, les cancéreux, les accouchées, les paralytiques. Tout ce qui était sur le dos! Merveille et terreur. Nous avons eu l'impression de nous trouver, pour la première fois, en face de la vraie vie. Celle des yeux qui s'enfoncent dans votre chair. Il était beau de s'atteler à des brancards ou à des civières et de transporter, avec notre jeune force, ces corps impuissants. Mais les regards qu'on nous jetait étaient affolants: pleins de gratitude, de peur, d'angoisse et d'envie! Oui, d'envie! L'un de ces regards me poursuit encore: celui d'une vieille femme à la jambe cassée et tendue dans les airs. Il fallait la bouger lentement, doucement, tout le long de trois escaliers. Au moindre choc, elle se mordait les lèvres. Sans pleurer. De quel droit étions-nous ceux qui avions la joie de faire une bonne action? De quel droit! Seulement le hasard, de sa main capricieuse, avait pu nous désigner, nous, les innocents. Et nous étions si contents de faire cette b.a. que nous étions incapables de cacher notre plaisir de jeunes veaux.

Vers une heure du matin, j'ai retrouvé Vigneault sur les échafaudages de la partie en construction de l'hôpital. On s'y amenait en sautant par les fenêtres du vieil édifice qui brûlait lentement. Et là, on voyait, de haut, les maisons flamber. Vingt minutes pour une maison ordinaire. On était aux loges. Spectacle grandiose! Fête! Il y avait destruction et personne ne pouvait être puni. Comme à la guerre! Le vent empoignait les flammes, les enroulait sur un écheveau invisible, puis les lancait chez le voisin.

Alors, une autre maison s'allumait. Scénario impeccable qui faisait naître en nous la contradiction: le plaisir de voir l'édifice tomber et, en même temps, le sens de la catastrophe. Alors, quelqu'un a crié: «Vigneault, fais-nous un poème sur le feu!»

Un innocent plus inconscient que les autres... Et le poète a saisi tout à coup le sens de la catastrophe. Il a eu un haussement d'épaules, soudainement écœuré, et il a disparu.

La maison de notre ami Hubert a brûlé, elle aussi, mais nous n'étions pas avec lui pour l'aider. Pagaille. J'ai perdu Gilles dans les couloirs de l'hôpital où, à cause de la fumée, les infirmières nous donnaient des tampons humides pour nous couvrir les yeux. Même là, les jeunes filles avaient des sourires qui nous enchantaient. Je suppose que nous étions ridicules.

Mais, pour la première fois de notre vie, la nuit était à nous!

Vers trois heures du matin, fatigué de transporter des malades, je suis rentré. C'est à ce moment que les flammes ont commencé à lécher les fenêtres de notre vieux Séminaire fait de briques et de bois. Je me suis mêlé à la foule des élèves qui, dans un mouvement de belle générosité, aidaient les prêtres à sauver leurs meubles. Des chaises, des livres, un animal empaillé. C'était tout ce qu'ils avaient, tout ce qu'ils voyaient, entre les heures consacrées à nous donner des cours. Et, tout à coup, nous étions alors une cinquantaine derrière la sacristie, il y a eu panne d'électricité. Alors, le directeur nous a dit de partir: «Allez-vous-en chez vous. C'est fini.»

Dans le noir absolu: «C'est fini.» C'est à ce moment-là que le choc a eu lieu. Le commencement du choc. Cet homme en soutane, que je n'aimais pas beaucoup, avait crié: «C'est fini.» Et nous sommes sortis pour le voir flamber, ce vieil édifice construit à coups de quêtes. Le vent est subitement devenu glacial, comme s'il avait voulu corcer le sinistre. Tout le Bas-du-Fleuve avait payé pour que cette maison soit construite, pour que l'instruction soit parmi nous: le latin, le grec, Corneille, les mathématiques et le prêtre. L'éducation, quoi! Autre chose que le foin, d'autres valeurs que les vaches! Toutes ces vieilles planches avaient été clouées grâce aux sous donnés par des paysans comme mon grand-père, à une époque où un cochon ne rapportait pas grand-chose. Et là, à quatre heures du matin, dans le vent du nord, nous les regardions brûler, monter dans le ciel, devenir rien du tout. Au milieu des vieux prêtres qui avaient la larme à l'œil. De loin, j'aperçus Ti-Georges, solide, grave. Il savait le prix de la culture. Une vieille planche qui brûle, c'est aussi un air de Bach qui s'en va!

Sentiment de délivrance: c'est le 7 mai et nous sommes subitement en vacances! Mais aussi, serrement de cœur: quelque chose qui nous appartient est en train de disparaître. Une ascension! Ça monte au ciel en langues de feu interminables. Tout à coup, nous avons l'impression d'être projetés dans la réalité. Dans le mystère. Car plus les flammes sont hautes, plus nous avons l'intuition que les esprits existent. Ils existent, puisqu'ils nous serrent à la gorge. C'est donc cela la réalité?

Une espèce d'anxiété?

J'arrive chez moi à l'aube, sur un vieux camion dont le conducteur m'a cueilli à la sortie de la ville. Il faut aller dormir: «Va te coucher!» Mon père est ému: la misère du monde l'afflige toujours.

Impossible de dormir; j'ai les yeux pleins de feu et suis trop fatigué. Où est passé Vigneault? Je ne me souviens que de l'avoir perdu de vue au cours de la nuit, à l'hôpital.

– Faut que j'aille chercher ma malle, aussi bien y aller tout de suite.

Me voilà de nouveau sur la route, et je retrouve Gilles dans les rues en cendres. Il erre. Nous allons à la partie du Séminaire qui n'a pas brûlé, entrons dans la salle des fêtes et voyons le trou béant qu'il y a derrière la scène. C'est d'un sinistre insupportable. Assis sur les gradins de la mezzanine, nous essayons d'enregistrer les principaux détails de ce grand spectacle. Le vent s'engouffre dans le lieu sacré où nous avons vu de grands artistes; où nous avons rêvé; où Vigneault, plus que tout autre, a rêvé de briller, de faire rêver, où il a réussi à faire rire. Le vent siffle et fait balancer une vieille toile de fond déchirée, des morceaux de tôle, de la corde, etc. C'est la nature qui est en scène et qui joue son rôle à la perfection, sans se mêler du paradoxe de Diderot. Nous sommes seuls tous les deux. Étrangement seuls. Comme si notre vieille maison était soudain devenue un village fantôme.

Au jubé de la chapelle, nous allons chercher nos gros livres de chants grégoriens. Ils sont ouverts à la page des psaumes du dimanche précédent, noircis de fumée. Et nous les emportons précieusement, comme s'ils étaient déjà deux antiquités. Deux sources de souvenirs.

Souvenirs de déchirure. Les malles préparées, nous allons de nouveau marcher dans les rues, à la recherche de la fille que nous aimons. Peut-être apparaîtra-t-elle au coin d'une rue? Mais non! Au coin des rues, il n'y a que de la fumée, que de la cendre; il n'y a que des étrangers qui se regardent, hébétés. Ils ont l'air de se demander: «Comment ça se fait? Comment ça se fait que le bon Dieu nous a fait une chose pareille?» On se recueille devant le désastre et on pleure en silence. Toujours ces visages abrutis, jamais le visage aimé.

Amour chevaleresque. Gilles ne lui a jamais dit qu'il l'aimait, et il ne la reverra plus jamais. Il est amoureux fébrile, malade, sentimental, délirant d'alexandrins qui lui coulent du cœur comme les larmes viennent aux yeux de la reine des affligés. Mais il ne l'a jamais touchée! Depuis des mois, il se contente de la trouver belle et se délecte dans ce désir qui ne peut aboutir. Et si elle paraissait maintenant, peut-être qu'à la faveur de l'événement il se passerait quelque chose?

Nous sommes au pays de la morosité. On sublime! Or, l'incendie a tout dramatisé. Tout, jusqu'au moindre de nos gestes. Une fin. Une rupture. Soudain, le précipice.

C'est étrange, mais il me faudra attendre plus de 20 ans pour retrouver la même intensité d'émotion. Vers midi, dans le port de Rhodes, j'étais sur un petit bateau de luxe et je prenais mon ouzo. J'avais la tête pleine de vieux murs, de vieilles pierres, de terre rouge et de racines grecques. L'eau bleue, le calme, la sérénité, la civilisation! Cette fameuse civilisation grecque que Ti-Georges m'avait inculquée! Je me berçais dans le miel de la culture dont les Grecs nous ont inondés, inconsciemment. J'étais comme le poisson qui a remonté le long courant et qui est enfin arrivé dans sa mer de naissance, dans sa matrice. Rien ne peut égaler cette douceur. Or, tout à coup, j'ai vu, très loin au bout du quai, un bateau en partance. Sur le quai, une centaine de personnes disaient adieu en agitant leur mouchoir blanc dans les airs. Longtemps, même quand le bateau a été assez loin pour qu'ils ne puissent plus voir les gens sur le pont. Alors, j'ai pensé à ces Grecs qui quittent leur terre trop sèche pour venir à New York ou à Montréal faire la livraison de sandwichs... Cela m'a fait ravaler une bonne douzaine de racines grecques! Mais le plus dur était à venir: une jeune fille s'est détachée du groupe et s'est mise à marcher, seule, portant son sac à main à bout de bras, un mouchoir sur les yeux, pleurant, pleurant sans cesse. «*Agapy mou!*» (Mon amour!)... La déchirure qui va de la gorge au ventre. Jamais je n'avais vu pleurer avec autant d'abandon, avec autant de générosité. Vive la Grèce! Les larmes de cette jeune fille me coulent encore dans le cou...

C'est comme ça que nous aurions pleuré, dans les rues en cendres, si nous avions été des filles. Mais un jeune homme ne pleure pas: il a toute la vie devant lui pour apprendre à le faire. Alors, je ramène Gilles chez moi, pour quelques jours. Il versifie un peu, court dans les champs, puis il prend le bateau la mort dans l'âme. Son dernier bateau d'écolier. La prochaine fois, ce sera autre chose.

Nous nous séparons pour la première fois, sans trop savoir ce que cela veut dire. Le temps n'est pas encore une menace, un problème. Devant nous, la route de l'ouest, celle qui va dans le sens du soleil. Nous allons dans le même sens et ne sentons pas les courants contraires. Pas encore. Comme il faut du temps pour apprendre à mesurer le temps!

Gilles Vigneault au bastingage, en route probablement pour Natashquan.

– J'vas venir de temps en temps à Rimouski. On se verra...

– OK.

Je ne suis pas de ceux qui s'effondrent. Nous avons tous les deux la conviction profonde que notre amitié ne peut pas se faire écorcher par les circonstances.

– Salut. Bon voyage. Bonne Rolande. (Il y a toujours une Rolande sur la Côte-Nord.)

– Salut.

On se serre la main vigoureusement et le printemps se charge de nous. Il y a les semailles à faire et mon grand-père à enterrer, lui qui riait quand même un peu lorsque Gilles contait ses histoires.

Ce que je crois

Voilà. C'est avec ces longues vacances que nous tournons une page. Nous sommes en 1950 et le Québec dort encore. Il y a l'Église partout, deux gouvernements pour légiférer, une certaine bourgeoisie, un peu d'argent et beaucoup de monde à la campagne. À Montréal, il n'y a ni gratte-ciel ni contestation. Qui est Vigneault, au sortir de ses études secondaires («très secondaires», comme il le dit aujourd'hui)? Que pense-t-il de la vie? Quel est son sens des valeurs? Si on lui avait demandé d'écrire un petit article intitulé «Ce que je crois», qu'est-ce qu'il y aurait mis? J'ai envie de me livrer à un petit jeu plus ou moins dangereux. Comme nous avions à peu près les mêmes idées alors, je vais essayer de faire cet article à sa place.

«Ce que je crois

Je crois que la noblesse vient du cœur et n'a rien à voir avec l'hérédité. Par conséquent, mon père et ma mère, malgré leur humble condition, sont des gens très nobles. Ils sont des gens bons, généreux, capables de sacrifices, et je leur dois la vie. Je leur dois même beaucoup plus, puisqu'ils ont accepté de se séparer de moi, espérant que je pourrais améliorer ma condition d'habitant venu de la Côte-Nord. Ainsi, je crois que la famille est la cellule la plus importante de la société.
Je crois que l'amour est la chose la plus grande qui existe sur Terre. Par amour, un être humain peut faire à peu près n'importe quoi: souffrir le martyre, mourir et tuer. L'amour est sacré. Dans le même ordre

d'idées, je crois que la femme est le plus bel être de la Création. Faite de chair, mais si pleine de sentiments que je parviendrai peut-être à oublier ce corps qui me bouleverse. Non, je ne peux pas l'oublier. Je ne comprends pas très bien: la femme est un mystère. Un mystère avec lequel j'irai au bout du monde. Aux pieds de la femme que j'aime, je dépose mon cœur tout chaud, je lui dis combien elle est admirable. Et je veux le lui dire dans la langue la plus pure. Mon bonheur sera de chanter la beauté de la femme, la grandeur de l'amour. J'ai la conviction profonde que, si je brûle d'amour, je ne peux pas être malheureux.

Je crois que la poésie est plus importante que la machine, le commerce, la politique, etc. Elle est le chant de l'âme qui purifie le corps, fait connaître les recoins les plus cachés de l'âme et accéder à la vérité. Faire de la poésie, c'est nommer l'ineffable. L'intelligence et l'âme humaines semblent s'entremêler, en dehors de toute conception religieuse, et rien n'est plus important que de travailler à connaître ce qu'elles cachent en elles. Je passerai ma vie à faire ce travail.

Roger Fournier, face à la mer.

LES MAUVAIS MATINS

Un demi-jour blafard parfume la chapelle
Et se mêle au brouillard de ses odeurs d'encens
Un recueillement pur s'empare de mes sens
Et voici que le cœur étrange se rappelle

Les belles communions de nos pieux six ans
Alors qu'on connaît mieux ce Jésus qu'on épelle
Et qu'on est, pour l'aimer, moins désobéissant
Mais la cloche fêlée et fausse nous appelle

Au réel des vingt ans (la mauvaise saison!)
Et nous dit: «Vous êtes toujours dans ma maison
Il faut vous souvenir que ma règle demeure!...»

C'est ainsi chaque fois que vient un calme... il faut
Que le calme de l'ombre et du silence meure
Sous l'horrible fêlure ou les grands lustres faux!

Gilles Vigneault
(Inédit, époque du collège)

D'une plume empruntée au bureau du voisin,
Sur un papier volé, d'autant plus anonyme
Qu'il est marqué du chiffre et non pas de la rime,
Je dépose l'ennui du dimanche moins saint.

Un confrère attardé dans ce monde pervers
Pieusement médite au bureau limitrophe
Priant pour ce grand fou qui cheville sa strophe
Comme s'il donnait le salut à l'Univers.

La cloche qu'on entend ébrèche le moment
D'un si rare silence, au gré de sa fêlure;
Le soleil décédant traîne sa chevelure
Une dernière fois sur les bureaux dormants.

Les murs sont blancs aux fenêtres point de barreaux
Tout a l'air doux et calme allant facile et libre.
Et mon cerveau perdu cherche son équilibre
Il ne peut sans folie accuser les carreaux.

Tout est si faux, si clair qu'un enfant dirait: ciel
Et chercherait le coin où l'on a mis les anges.
J'ai trouvé tout cela... et trouvé plus étrange
D'être las du donjon des anges officiels...

Gilles Vigneault
(Inédit, époque du collège)

Je crois que la vie est belle, malgré tout (tout ce que j'en connais, à mon âge). Je crois que la neige, la mer, les animaux, la terre, la forêt, les lacs, les rivières, tout ce qui existe dans la nature est admirable.

Je crois que le corps humain est pure merveille. J'ai envie de chanter le corps de l'homme et de la femme.

Je crois qu'il n'y a rien de plus beau que l'homme et la femme qui font l'amour. Faire l'amour, c'est rendre grâce à son Créateur.

Je crois que la beauté, en soi, est la seule valeur sûre. C'est en travaillant à chercher la beauté, en essayant d'en exprimer toutes les nuances que je serai heureux.

Je ne peux pas savoir ce que Dieu est, mais je crois bien qu'Il doit exister. Pourtant, je commence à me méfier du Dieu que la religion catholique m'a fait connaître, qu'elle m'a imposé, devrais-je dire. Avec le temps, je changerai certainement d'idée. Nous verrons plus tard. En attendant, il suffit que ce Dieu me prête vie; cette vie à laquelle j'ai droit, d'autant plus que, comme tout le monde, je ne l'ai pas demandée. En attendant, vivons!»

J'arrête ici cet exercice périlleux. Périlleux parce que la mémoire, même si elle est plus fidèle que certaines femmes, n'en subit pas moins certains assauts au cours des années. Il me semble pourtant que c'est à peu près ce que nous pensions tous les deux, en 1950. Bien sûr, ça ne dit pas exactement tout ce que Vigneault croyait à cette époque. Ce qu'il me disait était clair et simple, mais ce que son intuition le laissait déjà pressentir, c'est autre chose.

Et je tourne cette page à regret. Je suis en train de me demander si je ne faisais pas erreur, au début de ce petit travail, lorsque j'affirmais qu'un adulte ne devrait jamais essayer de se revoir au temps du pensionnat. C'est fou comme on est vrai à cette période! Et, par fausse pudeur, quand on est devenu un homme, on dit: «Maudit qu'on était cons, dans ce temps-là!»

Il est vrai que la candeur, la pureté et la naïveté sont des qualités dangereuses. Elles mènent, tout bonnement, à la misère.

Mais je voudrais revenir un petit instant à Vigneault, qui vient de partir en vacances pour la dernière fois avant de s'en aller à Québec. Je suis en train de herser nos champs et il est en mer, vers Natashquan, avec huit ans de cours classique dans le corps. Qu'est-ce que ça veut dire, au fond? En guise de réponse, songeons un peu à toutes les difficultés qu'on a, depuis 10 ans, à reconstruire notre système d'enseignement.

Vigneault, évidemment, était poète avant d'arriver au Séminaire. Huit années d'études lui ont apporté du raffinement, de la culture, des mots, de la souffrance, du temps accumulé. Mais tout cela ne l'a pas changé fondamentalement. Je serais plutôt porté à croire que grâce à ce qu'il est, depuis sa naissance, on finira par changer certaines choses autour de lui.

NEUF

La faculté d'être étudiant

Québec, en septembre 1950, doit compter entre 250 000 et 300 000 habitants. Cette grande petite ville a des charmes que le poète sent immédiatement. Avec l'ardeur du citadin néophyte, il trousse pudiquement le jupon de la cité: il faut tout voir! En réponse à une belle lettre que je lui ai écrite au mois d'août, il m'en adresse une, perdue évidemment, dans laquelle il décrit avec lyrisme les vieilles rues du Quartier latin. Il me parle de la rue Couillard, si étrange, si étroite «qu'elle a l'air d'un cercueil ouvert aux deux bouts», des remparts, du vieux Séminaire, du Cercle des étudiants (29, rue Couillard), de la rue Saint-Jean et de tout ce grouillement d'étudiants en médecine, en droit, en sciences sociales, qui l'enchante. Il y a même quelques civils inscrits à la faculté des lettres. Des fous, naturellement...

La grande affaire, il va sans dire, c'est que, pour la première fois, il boit le vin de la liberté. Diablement capiteux, ce petit jus-là! Pas de clôtures, pas de permissions à demander pour aller à droite ou à gauche. La ville est là. Elle lui appartient. Il n'a qu'à la sillonner de ses pas pour prendre la température du monde. D'abord, savoir «le temps qu'il fait» sur cette ville et cette université: un temps de jeunesse, de gentillesse, de simplicité, de nonchalance, de laisser-vivre. Dans les rues et sur les visages, il coule du printemps. On a enfermé tous les problèmes dans une grande cave et mis une grosse pierre sur la trappe. Quand la ville s'éveille, le matin, on dirait qu'il est écrit, sur la plus haute tourelle du château Frontenac: «Plus tard.»

La ville est belle, vieillotte, et, surtout, le monde est sympathique. L'une des raisons pour lesquelles Gilles aime

Québec, c'est qu'il y trouve du Natashquan: dans les rues, il peut parler à n'importe qui, faire des blagues, demander un service ou en rendre un, comme chez lui. Cela va lui tenir à cœur pendant des années. Québec n'est pas la grande chose monstrueuse dans laquelle on se sent perdu, étranger, étouffé par les affaires des autres. Et puis, on reconnaît les étudiants à vue d'œil. Ils sont le principal élément humain de ce Quartier latin où ils déambulent tout au long de la journée, palabrant, criant, gesticulant, riant. On est encore à l'époque de la carabinade, du rire facile, de la gouaille, du tour qu'il faut jouer. On s'amuse dans l'innocence de la jeunesse qui en a encore pour quelques années avant d'être responsable d'une famille, d'un client, d'un patient. Dans ce climat serein, Vigneault éclate comme une fleur.

D'abord, il a retrouvé le Grand Mike. Ils logent tous les deux au cinquième étage d'une vieille maison de la rue Hébert, à deux pas de la faculté des lettres. Il y a dans leur chambre des rires, des poèmes, des parties d'échecs, des réunions d'amis… Un désordre monumental! Tout, sauf de l'étude comme on l'entend au sens classique du terme. Mais, pour Vigneault, l'étude c'est la vie; c'est le temps qui passe en laissant son empreinte indélébile. Quand il gigote, quand il crie et gesticule, n'est-il pas en train d'écrire ce qu'il chantera plus tard dans *Jos Montferrand*?

> *En seulement le yâbe me pousse quand j'm'arrête*
> *de turluter.*
> *Je r'vire un bardibardagne,*
> *J'mets la ville dans la campagne.*

L'étude, pour lui, c'est l'impulsion. C'est la réaction joyeuse en face de tout ce qui existe. D'où vient-il? Directement de ce paillard qui s'appelait Rabelais et qui a écrit: «Et pour ce que rire est le propre de l'homme».

Voilà qui est capital. Il faut rire absolument! C'est une de ces lois naturelles dont il a le secret. Le rire est d'une nécessité viscérale. Comme l'amour, comme la nourriture. Et, chose extraordinaire, on peut se le fabriquer soi-même, gratuitement! Mettez un peu d'imagination dans votre réservoir et ça y est! Vigneault n'en manque pas. Par exemple, au cours de ces mois mouvementés, il partage avec le Grand Mike une chambre où il n'y a qu'un lit à une place. Comment y dormir? Solution facilement trouvée: la nuit, Gilles ira se distraire dans les rues de la ville et, le matin, quand Mike ira à ses cours, Gilles se glissera dans les draps chauds. Tout marche à merveille, jusqu'au jour où la propriétaire vient faire le ménage. Elle trouve Vigneault dans le lit de Michaud et demande une explication. Elle y a droit! Gilles dit alors:

– Madame, il se passe une chose extraordinaire. Je vais vous expliquer. Le soir, quand je me couche, je suis Gilles Michaud, mais souvent, le matin, quand je me réveille, je suis un autre.

Et la pauvre femme s'enfuit, affolée. Les dons de conteur que possède Vigneault commencent déjà à porter leurs fruits...

À l'Université Laval se déroule toute une vie artistique! Il y a même une vraie troupe de théâtre étudiant: *La Troupe des Treize*. Dès les premiers mois, Gilles va s'y faufiler pour amuser, faire rire avec ses mots d'esprit, s'y implanter et finir par jouer dans *Les Plaideurs*. Moment de griserie. On l'affuble d'un costume qui n'est pas tellement de la bonne époque, si j'ai bien compris ce qu'il m'a raconté, et il monte sur la scène pour y déployer ses longs bras dans des gestes qu'il imagine propres au XVIIe siècle. Je ne l'ai pas vu à cette occasion, mais je suppose que tout cela venait directement de ce qu'on a vu sur d'autres scènes. Son jeu était certainement inspiré de mots qu'on avait lus dans les livres d'histoire littéraire, ou, tout simplement, de Molière, dont la langue avait pour nous des charmes extraordinaires. Voilà des années que nous échangeons des répliques de théâtre où entrent des vieilles formules, des expressions d'autrefois, dont nous avons la nostalgie:

– Or ça mon fils, que vous semble de ceci?
– À quel propos cela?

– À propos que si vous aviez en brave père bien morigéné votre fils quand il en était temps, il ne vous eut point fait ce qu'il a fait. (Je cite de mémoire.)

L'amour qu'il a pour la langue des siècles passés le poursuit, nourrit ses attitudes, son comportement, même dans la vie de tous les jours. Et quand il monte sur la scène pour débiter un texte de Racine, il est tout plein de cet amour. Le public étudiant rit et apprécie, mais ce succès est sans lendemain: rien de plus éphémère que le théâtre étudiant, surtout à Québec en 1950. Gilles en sera quitte pour avoir rêvé qu'il pourrait être comédien, un jour, peut-être... Mais si dans sa tête les désirs et les rêves se multiplient, dans la vraie vie il ne se passe rien de sérieux en ce sens. On dirait que pour sa carrière d'artiste les plans n'ont pas été tracés. Il a été oublié par le grand Metteur en scène!

De temps en temps, un voyage en auto-stop avec le Grand Mike. Mais pour venir à Rimouski, le chemin est long et les automobilistes prudents. Dans la région de Kamouraska, par exemple, on peut poireauter pendant des heures sans entendre ce merveilleux coup de freins de la bagnole qui ralentit. C'est ce qui leur arrive un jour: les voitures passent (pensez à la fin des *Semelles de la nuit),* le soir tombe, la nuit s'amène derrière les grosses montagnes noires et ils sont seuls sur la route. Mais on ne se décourage pas pour si peu. On s'assoit sur le bord du talus, on allume une bougie et on commence à jouer une partie d'échecs. Tout cela dans le calme, la détente, parce qu'il n'y a rien d'autre à faire en pareilles circonstances. Finalement, une voiture s'arrête, le chauffeur ayant été intrigué par la lueur.

– Qu'est-ce que vous faites là, tabarnac?

– On vous attendait!

– Sacrament! Embarquez.

Ils ont gagné. Et c'est ce brave homme qui n'en revient pas. Il est ébloui par cette petite bougie! Le geste désinvolte face au destin. Détachement, panache. Théâtre! De quels héros sont-ils emplis? Il y a de tout là-dedans: du Eddie Constantine, qui arrivera sur l'écran un an plus tard, du

Cyrano de Bergerac et beaucoup des Trois Mousquetaires. Pour faire face à la réalité, à sa sale gueule, quoi de mieux que l'irréel?

À Rimouski, je les vois arriver avec la plus grande joie. Enfin, je vais avoir des nouvelles, un témoignage direct. Dans la cour, nous faisons notre plus longue promenade. Nous inventons de l'espace pour y poser nos pieds, parce que l'exubérance a des propriétés bizarres: elle fait gonfler les molécules! Entre ses anciens murs, Gilles est évidemment un personnage. Quelque chose comme le Grand Meaulnes. Il vient d'ailleurs. À chaque virage, il a l'air de dire: «Moi, je viens de l'Université.»

Mais il parle. Il raconte. Il joue. Chaque étape de sa vie est un rôle qu'il doit remplir consciencieusement. Il y manquerait qu'on aurait envie de le lui reprocher. Dans chacun de ses gestes, dans sa façon de marcher, il est totalement lui-même: un homme qui se sent capable de resservir la vérité au monde assemblé autour de lui, après l'avoir captée par ses infimes antennes. Et c'est dans ce genre d'exercice qu'il me donnera toujours le vertige. Parce que, tout à coup, je me rends compte que le jeu devient plus plausible que la réalité. Tant il est vrai que c'est dans la fantaisie que se trouve l'essentiel du cœur de l'homme.

Après avoir ri, après avoir blagué, après avoir fait le tour de notre jardin d'adolescents, je lui demande:

– Pis, la faculté des lettres, comment c'que c'est?

– C'est comme le Séminaire, mais en plus grand.

En quelques semaines, il a tout saisi de ce qui se passait chez les lettrés de Québec. Là aussi, on joue un jeu. On s'illusionne. Probablement parce que le vrai monde des lettres est encore à inventer. On ne fabrique pas une Sorbonne en quelques années (le plus drôle, c'est que lorsqu'on arrive à la Sorbonne, on trouve encore que ce n'est pas ça).

Ce jugement de Vigneault, à propos de Laval, que je sais honnête et certainement tout près de la vérité, ne m'empêchera pas de le suivre dans la même voie. Je n'y peux rien: on ne peut pas refaire une faculté des lettres à la mesure de ses exigences. Advienne que pourra. D'ailleurs, j'y serai un élève de bien petite envergure.

Gilles reparti, je ferme la porte et me replonge dans la philosophie avec l'ardeur qu'il faut. Juste ce qu'il faut, parce que ça ne colle pas: on emmagasine les syllogismes, on les empile les uns sur les autres. Et comme ils sont poisseux, ils fermentent. Ça fait une drôle d'acidité dans le cerveau. On est en 1951, et quand le professeur mentionne au passage la théorie de Darwin sur l'évolution, il a ce sourire ironique propre à tous les thomistes, à tous ceux qui croient que les catholiques seront les seuls à jouir du ciel. Comment sortir ça de la tête de quelqu'un qui a reçu de Dieu ce don extraordinaire, cette grâce qu'on appelle la foi! Et au nom de cette foi qui est divine, on fait des guerres! On tue du monde! Décidément, les voies dessinées par la Providence sont bien tortueuses...

Pendant ce temps, à Québec, la vie continue. L'effervescence, la folie de la vie. Le champagne de la jeunesse, le vin de l'insouciance. Vigneault a rencontré Mgr Parent. Celui-ci a deviné qu'il y avait quelque chose de profond dans ce jeune échevelé; quelque chose qu'il ne sait peut-être pas mesurer exactement mais qui lui plaît bien. Rien de plus différent de Mgr Parent que Gilles Vigneault. Mais le recteur de l'Université est intelligent, très intelligent, et il comprend vite que Gilles, en plus d'avoir ce qu'on appelle du talent, est foncièrement honnête. Il va donc l'aider en lui prêtant de l'argent et en lui facilitant les emprunts. Il fera de même pour moi, deux ans plus tard, et notre façon de lui prouver notre reconnaissance fut de rendre les sommes empruntées dès les premiers sous gagnés.

Quand le premier Noël du poète à Québec se présente, la cigale crie famine. C'est le temps des vacances, mais de réjouissances, point. Il court les rues en compagnie du Grand Mike, et, pour faire tinter quelques sous au fond de leurs poches, ils aident les automobilistes à monter la rue Sainte-Famille en poussant les voitures qui patinent sur la glace. Ça rapporte peu! Pendant ce temps, une famille de braves bourgeois, du monde honnête, bon, sensible, généreux, aimable, qui éprouve peut-être le besoin de tirer des traites sur l'éternité, donne à Mgr Parent, en guise de cadeau de Noël, un «énôrme» gâteau. Mais le pauvre recteur n'a pas d'enfants. Le temps de Mgr d'Autun est révolu! (En tout cas, si nos évêques font des bébés, ils les cachent merveilleusement bien!) Les seuls deux grands enfants affamés qu'il se connaît sont Vigneault et le Grand Mike. Le gâteau aboutit donc à leur chambre et ils commencent à déguster: hors-d'œuvre égale gâteau, entrée égale gâteau, plat principal égale gâteau. Midi et soir pendant trois jours, c'est pas de la tarte! Et au bout de tout ce temps, au bout de cet écœurement suprême, il en reste encore! Alors, l'euphorie les prend tous les deux, le fou rire, et, dans un geste magnifique, ils lancent les restes de la chose du haut de leur cinquième étage, dans la rue Hébert! Je dois ajouter qu'ils rient d'autant plus fort qu'ils savent d'où vient la pâtisserie!

À Québec, il y avait un jeune dieu qui soulevait l'enthousiasme des foules. Il n'était ni chanteur, ni comédien, ni député, ni premier ministre. Il jouait au hockey et s'appelait Jean Béliveau. Je ne sais ni pourquoi ni comment, mais, un soir, Vigneault s'est retrouvé au Colisée pour voir la partie. Et, quand il est revenu, il a eu envie de plaisanter, à sa façon. (Voir poème ci-contre.)

Le doyen de la faculté des lettres à Laval était alors Mgr Savard. Voici donc ce maître dont, quelques années plus tôt, Gilles admirait les œuvres qu'il sait encore apprécier à leur juste valeur. Deux poètes face à face. L'un affublé d'une grande réputation et d'un poste important, l'autre lâché en pleine nature comme un veau au printemps... Et si, à toutes fins utiles, Gilles a définitivement quitté sa famille, il n'en est pas moins un enfant en quête d'un père. Ça tombe plutôt bien. Monseigneur Savard ne demande pas mieux que d'être père. De nature, bon comme un bon père. Affectueux, doux, compréhensif, fort, et plein de cette vieille culture après laquelle on soupire parce qu'elle disparaît à pleine vapeur.

Rondelle

Or tout le Colisée
Unissait d'un coup sec
La cité de Québec

J.B.-Y.

Avec la froidure
Renaît le temps neuf
Où le public bœuf
Veut la joute dure

La salle à friture
S'emplit comme un œuf
Jusqu'à la toiture
C'est ça! le temps neuf

Tel grand homme endure
Entorse et fracture
Pour la créature
Qui le rendra veuf

Avec la froidure
Renaît le temps neuf
Ce fut une dure
Joute. 12 à 9

Jean Bel-Yvo.

Gilles Vigneault
(Inédit, époque de l'université)

Il a assimilé Villon (je me souviens bien de l'analyse qu'il en faisait), Ronsard, Marot, les classiques français puis Claudel, sans oublier les poètes grecs et latins. Une *teste bien faicte,* comme on n'en fait plus. Au numéro 2 de la rue des Remparts, face au bassin Louise qui est à ses pieds et pas loin des montagnes qui font les chameaux du côté nord, il rêve, médite, écrit, lit, se corrige, somnole, bref, se cultive encore. Il a donc tout ce qu'il faut pour reconnaître le talent de Gilles et, sans grandes effusions parce que ce n'est pas son genre, il adopte un peu Vigneault comme son fils spirituel.

Monseigneur Savard sait bien que son petit garçon court les rues la nuit, rêve de théâtre, de cinéma et de filles, qu'il oublie souvent de se lever pour aller au cours de latin qui a le mauvais goût d'être programmé en pleine nuit, à 8 h 30 du matin, etc. Mais qu'y faire? Son petit garçon écrit de fort beaux poèmes! Le talent est là, bien visible, mais il faut aussi que l'expérience toute neuve de cette liberté soit vécue totalement. Et cela, le vieux père le comprend, lui qui s'est enfermé dans le sacerdoce et qui a trouvé la vraie liberté, celle de l'esprit. Alors, il pardonne, sourit, fait alterner réprimande et mots gentils, puis passe aux conseils:

– Mon petit enfant, faut que tu te trempes dans les vieux poètes grecs et latins. Et pis surtout, apprends à polir, à recommencer.

(Gilles écrit souvent sans ratures, ayant poli avant, dans sa tête.)

– Recommence souvent. Regarde le travail d'Horace: les Anciens sont pleins de leçons extraordinaires.

Mais, chez Vigneault, il y a un air de légèreté, un semblant de frivolité, une façon de sautiller qui font probablement frémir le vieil homme bien assis, lui qui prend tout le temps qu'il faut pour trouver le mot juste, celui-là et pas un autre. Pour arriver à ce mot-là, monseigneur dépense des heures et même des jours! Ainsi, il croit peut-être que Gilles, plein de talent pour la poésie, va rater sa vie littéraire, tout gaspiller, tout briser avec cette maladie qu'il a de courir à gauche et à droite. Le père voit la culture française, cet héritage extraordinaire dont il est plein; il voit aussi la culture folklorique québécoise, tout ce que nos ancêtres nous ont légué de mots, d'histoires, de chansons, de misère. Et il attend que tout cela fleurisse dans le cœur d'un poète de chez nous. N'a-t-il pas montré la voie, lui, avec *Menaud* et *l'Abatis?* Il espère en silence, puis en paroles. Combien de fois l'ai-je vu frapper son bureau de ses doigts boudinés et dire avec force: «Il faut que! Il faut!» Et Gilles est un espoir. Mais comment y faire entrer la maturité?

Là où loge Mgr Savard, au sommet de la colline qu'il s'est construite, les arbres commencent à sécher, à rabougrir. Tandis que son fils spirituel vient de sortir de l'utérus. Le soleil se lève. Tout est vert et il nage dans l'air capiteux de la vie à son aube. Quoi de plus merveilleux que l'air et la lumière après la longue nuit? Rien. Alors, Gilles s'émerveille à pleins yeux, à pleins bras, à pleins pas sautés et dansés. Il faut frapper le rocher sur lequel la ville est construite pour en faire sortir de l'eau. Que dis-je? Du vin! On veut bien lire Horace, mais il y a aussi autre chose à faire. Quand le train s'en vient... Et là, c'est le train de l'amour qui va passer.

L'amour n'est-il pas la chose la plus importante au monde? Oui. Alors? Alors, il faut absolument qu'il soit amoureux. Absolument! À Québec, il y a des centaines de jeunes filles. Des centaines! Et même des milliers, si ma mémoire est bonne. C'est trop! Comment choisir? Laissons le doigt capricieux du destin le conduire. Après lui avoir fait contempler plusieurs étoiles filantes dont le scintillement l'a ébloui, il le dépose aux pieds d'une jeune beauté aux yeux profonds comme deux lacs, aux lèvres vermeilles, aux doigts roses comme l'aurore. Et pour comble, une personne très, très sensible qui fait des vers. Passe encore. Mais qui joue du piano! Alors, foin des bocs et de la limonade, la folie de juin, le vin de juin, le délire de juin, les 100 000 violons de la symphonie printanière lui montent à la tête. Il faut que tout éclate, que la vieille capitale devienne jeune, que le fleuve déborde, que le cap Diamant s'effondre et que l'île d'Orléans explose. Il aime!

Si jamais je réussis
À nommer le paysage
Dont ma tête qui voyage
Sait les contours imprécis

Je te le ferai connaître
Tu verras si j'ai raison
De gaspiller ma saison
À rêver dans ma fenêtre

C'est après le jour malsain
L'île tranquille et l'escale
Sur la grève musicale
Comme une âme au clavecin

La verdure est tendre et mûre
Un peu plus loin et des fleurs
Mêlent parfums et couleurs
Près d'un peu d'eau qui murmure

Entre des cailloux nouveaux
Noirs sur la blondeur du sable
C'est de l'indéfinissable
La douceur d'une vive eau...

Gilles Vigneault
(Inédit, époque de l'université)

Madame la mère donne des leçons de chant et elle a une autre fille qui intéresse beaucoup le Grand Mike. Alors, le soir, assez souvent, c'est-à-dire cinq, six ou sept fois par semaine, on se réunit autour du piano. On chante, accompagné par la déesse qui effleure le clavier de ses doigts angéliques. On est en famille. Le noyau, la cellule domestique sont retrouvés. Encore un peu et on se croirait de nouveau à Natashquan! Plus on voyage, plus on retourne chez soi... Il y a là une chaleur, des propos simples, de l'amour et des rires. Car le rire est une denrée indispensable à la santé de l'âme et du corps. J'insiste!

Puis, il y eut un problème d'argent qui se résolut de façon magnifiquement absurde. Il y a des moments, comme ça, qui sont propices aux gestes insensés, parce qu'on se dit que plus tard on regrettera de ne pas avoir été fou. Et on a raison. Toujours est-il qu'il fallait un piano à la belle brunette. Il lui fallait absolument un piano parce qu'elle en jouait. C'était nécessaire. Nécessaire parce qu'elle était beaucoup plus aimable quand elle jouait du piano et qu'il fallait absolument qu'elle soit infiniment aimable... Comme Dieu!

Le poète, lui, ne se nourrissait pas seulement de passion. Il avait besoin de manger. Pour manger, il reçut un jour la jolie somme de 100 $. Peut-être de cette organisation boiteuse qui s'appelait le Prêt d'honneur. C'était peu, mais énorme pour lui. Avec 100 $, en 1951, on pouvait avoir une centaine de boîtes de jus de tomate, 25 pots de beurre d'arachide et une trentaine de livres de steak haché. Mais, avec 100 $, on pouvait aussi obtenir un vieux piano et l'offrir à la jeune déesse de ses rêves. C'est ce qui fut fait! Dans la plus grande simplicité et avec le plus grand naturel du monde. En retour, le jeune amoureux et son compagnon pourraient manger beurre d'arachide et steak haché à la table de madame mère.

Mais le beurre, les toasts et la viande ne nourrissent pas la passion: grâce aux psychologues, nous savons maintenant qu'elle est une chose étrange qui se consume soi-même. Et que, plus elle est violente, moins le feu dure longtemps. Ainsi, au bout de quelques mois, il n'y eut plus de paille dans le cœur de la déesse au clavier. Elle esquissa quelques violents arpèges et jeta sa clé de sol aux poubelles, avec les restes de cuisine. Ne restaient plus, tout à coup, que la vulgarité, que la laideur, la puanteur et la pourriture des êtres avec leurs pauvres corps, parce qu'ils n'ont besoin de rien d'autre que de manger et dormir, les pauvres bêtes. Ce fut une tristesse affreuse! Affreuse! La ville perdit son charme. La rue se transforma en une vieille morue éventrée gisant sur un fond de vase.

Alors, on se souvint de ce grand amoureux qui avait vécu au temps où la tuberculose était une maladie doucement adorable et qui avait écrit: «Frappe-toi le cœur, c'est là qu'est le génie!» Et on frappa sur la pompe, à tour de bras, pour qu'il en sorte des vers. Les deux ventricules giclèrent à qui mieux mieux.

Mais, quand on s'appelle Gilles Vigneault, c'est d'une manière particulière qu'on met le point final à une aventure sentimentale. Une nuit, il est venu comme un fantôme. Par l'escalier de secours, il a atteint la fenêtre de sa dame et il est entré. À la belle à demi réveillée, qui se posait la terrible question: «Veillé-je ou dors-je encore?» il dit: «Je suis venu te dire adieu. Mais tu ne sauras jamais si je suis vraiment venu. Tu dors et tu rêves à moi. Je passe dans ton rêve...» Un baiser fébrile sur le front, et le poète enjambe la fenêtre pour se retrouver dans le petit escalier de fer si romanesque! Le lendemain, à 320 km de Québec, il téléphone à la jeune fille une dernière fois, se gardant toutefois de lui parler de cette visite nocturne. Sans le téléphone, on se croirait facilement dans un autre siècle!

L'expérience est une somme de bêtises, et aussi une somme de tristesses que l'on cultive peut-être, jusqu'au jour où elles fleurissent en gerbes nouvelles. C'est le temps qui agit comme engrais, soleil, charrue, herse, binette et arrosoir. Si dur qu'il soit, l'hiver finit toujours par laisser sa place au printemps. Et grâce à l'amour vécu, grâce à l'amour perdu, le poète apprend la femme. Il l'apprend comme une belle leçon qu'on désire savoir par cœur, justement parce que pas un seul professeur ne l'a imposée. Plus tard, ces moments de grande solitude morale valurent à Gilles d'écrire:

Pendant que les bateaux
Font l'amour ou la guerre
Avec l'eau qui les broie (...)
Moi, moi, je t'aime

et aussi, cette phrase que le public, masochiste on dirait, chante en chœur avec lui:

Qu'il est difficile d'aimer...

Sous sa plume, les mots d'amour fleuriront, mystérieusement emmêlés au problème du temps, comme des coquillages:

Autant le temps me presse autant le temps me pèse
Un soir d'automne en moi ne me ment qu'à demi
Et je n'ai plus d'amour et je n'ai plus d'ami
Soudain qui ne me soit pluie et vent et falaise.

Mais pour l'instant, il n'y a que le trou noir creusé par la solitude et la tristesse. Un été qu'on trouve long parce qu'il n'y a personne à aimer et parce qu'on est encore jeune. Avec les années, c'est fou ce que les étés raccourcissent!

Puis, l'automne vint et avec lui les cocktails de Faculté. Je ne sais si ce genre d'activité sociale existe encore mais, à l'époque, un cocktail de Faculté à Laval, c'était très drôle. Très, très drôle. On louait une petite salle quelque part dans le Vieux-Québec, un tourne-disque, on achetait deux ou trois gallons de vin sucré et les filles mettaient leur plus belle robe. On s'asseyait en rond, on faisait connaissance, on dansait et, surtout, on collait ses doigts à la robe de la jeune demoiselle, sur laquelle on avait renversé du vin par pure maladresse. On entrait dans le monde adulte par la porte la mieux entrouverte qu'on puisse trouver. Les professeurs venaient voir leurs élèves et affichaient pour l'occasion des sourires si merveilleux qu'on ne les reconnaissait plus. Ils devenaient subitement des hommes, mais c'était si incongru de les voir comme ça que ce moment de communication, à peu près unique dans l'année, était raté. Qu'est-ce qu'on perd comme occasions de s'enrichir!

Toujours est-il qu'au cours de l'une de ces soirées hautement mondaines Gilles rencontre une jeune fille. Un bijou. Elle aime la poésie, elle peint, elle écrit des vers et elle termine son cours classique. Une merveille! Évidemment, elle est belle. Le vent se lève, la mer se gonfle et les arbres se mettent à danser. Le bal est ouvert. Le plus grand bal du printemps au monde. Cette jeune fille semble faite sur mesure pour comprendre le poète. Car un poète, tout le monde le sait, c'est pas endurable. Cela, Gilles l'a souvent éprouvé. On rit de ses mots, on l'applaudit, on aime sa poésie, mais combien de fois n'a-t-il pas songé à ces vers amers de Ronsard: «Quand vous serez bien vieille...»? Et cela, même s'il ne demande pas tout à fait à sa belle ce que l'auteur des *Odes* demandait aux divers objets de sa flamme...

Cette enfant accepte qu'il ne soit pas comme tout le monde. Elle a des parents qui, contrairement à tant d'autres, admettent l'amour de leur fille pour ce jeune farfelu, qui vient de si loin qu'on doit chercher l'emplacement de son village natal sur la carte de la province et qui est si pauvre, matériellement, qu'on se demande comment il a bien pu arriver jusqu'à Québec. Ainsi, leur amour fleurit au cours de l'hiver, explose au printemps, sur les plaines d'Abraham, sur la terrasse Dufferin, où il fait si bon s'embrasser alors qu'il faudrait plutôt bûcher sur une version latine ou sur une dissertation française. Mais l'amour passe avant tout. N'est-ce pas ce qu'enseignent les poètes latins qu'il faut traduire et les poètes français qui sont au programme? Allons, un peu de logique! Après tout, l'université demande-t-elle plus à un étudiant que de passer ses examens? Pour tout dire, il y a longtemps que Vigneault a compris le ridicule de cet enseignement magistral: «Ça pue le collège classique dans toute la rue Sainte-Famille!» *Ergo,* plongeons notre plume dans la source de l'amour.

Un ami si fidèle

Ayant pris à mon tour la route de l'ouest, j'arrive à Québec en septembre, muni de mon bac et d'une vieille malle que je n'ai pas réussi à remplir avec tout mon linge. Ma plus grande richesse, à ce moment-là, c'est l'espoir. Pour ce qui est des illusions, je fais semblant de ne pas en avoir beaucoup pour avoir l'air naturel d'un étudiant sérieux qui a une bonne formation classique. Mais je suis certainement le plus naïf des verts qui arrivent dans la vieille capitale. On dirait que, en fermant la porte du Petit Séminaire derrière moi, je suis redevenu le fils de paysan âgé de 14 ans...

Au cours de l'été, nous avons échangé quelques lettres, Gilles et moi, et nous nous sommes donné rendez-vous au 31 de la rue d'Artigny, où il habite depuis plusieurs mois. (Rue presque entièrement détruite depuis pour construire les édifices qui abritent la Fonction publique...) La propriétaire de cette maison, que je connais déjà, me reçoit très maternellement, comme il est dans sa nature de le faire, et m'annonce que Gilles arrivera dans deux ou trois jours: il est à Chibougamau, où il a passé l'été sous la tente, avec des prospecteurs. En l'attendant, je m'installe dans la chambre que nous allons partager et je renifle la ville. Nous sommes en septembre 1952. Deux mois plus tôt, Duplessis a été réélu sans difficulté. Tout est calme dans le royaume. Les médecins soignent, les patients paient ou crèvent sans trop se plaindre, les avocats plaident, les touristes s'en vont après avoir photographié le château Frontenac, les ouvriers font semblant d'être heureux et, autour de la ville, les paysans cultivent paisiblement. Chaque chose est à sa place: la vertu à la sainte table, l'honnêteté à la campagne et la corruption dans les caves. Personne n'ose déranger l'ordre établi. Le monde tourne, telle une bonne vieille machine bien huilée n'ayant plus de secrets pour les architectes qui l'ont fabriquée. Rien ne vient troubler la paix à l'intérieur de ces vieux murs, témoins discrets d'une histoire que tout le monde semble heureux d'avoir oubliée. N'est-elle pas nécessaire, cette paix, au développement de l'humanité? Essentielle au foisonnement des talents, à l'accomplissement de la personne humaine? Ô temps heureux où notre roi avait compris cela et où le peuple obéissait, capable de renoncement et de crétinisme!

Tout d'un coup, Gilles apparaît dans l'encadrure de la porte, olympien. Il a les cheveux incroyablement longs.

– Salut!

Avec la plus grande simplicité du monde, nous jouons la scène des amis qui se retrouvent: «Oui, puisque je retrouve un ami si fidèle...»

Mais nos rôles ne sont pas écrits. C'est le temps qu'il fait sur la ville, l'heure et nos sentiments qui nous dictent les répliques. Dehors, je m'en souviens très bien, il pleut. Et, en nous, il n'y a que lumière, parce que nous sommes là, l'un en face de l'autre, deux pôles autour desquels se met à tourner un univers de joie.

– Salut! On arrive du Grand Nord!

– Salut!

Il y a du revenant dans son attitude. La forêt pendant trois mois! Les lacs, les rivières montées en canot, les orages, les moustiques et les hommes. Rien que des hommes qui tentent de tromper l'ennui par des propos grivois. Voilà tout ce qu'il essaie de me faire comprendre dans son regard et dans sa façon de se tenir devant moi. Le sacrifice de l'éloignement, il l'a certainement fait par amour, pour prouver à sa blonde qu'il en est capable. Tout cela est vaguement mêlé à l'amour courtois, aux gestes des preux chevaliers dont il a peut-être la nostalgie. Il revient des Croisades, tout simplement. Sa Terre sainte fut le Grand Nord où il est allé préparer le terrain pour une future chanson, encore loin dans son subconscient: *Fer et Titane.*

Je ne peux m'empêcher de dire quelque chose, en passant, à propos de cette chanson. Elle contient une phrase capitale. Quelque chose qui me donne le frisson toutes les fois que je l'entends.

Sur la Côte-Nord, on casse tout pour trouver du minerai. Seul le progrès a raison. On détruit, on construit, on passe dans la nature et ça donne:

Dix religions, vingt langages,
Les p'tits vieux
Silencieux.
Et puis regarde moi bien dans les yeux,
Tout ce monde à rendre heureux.

Essayez maintenant de regarder passer un bulldozer sans vous poser de questions!

– Comment ça a été?

– Ça a été le *fun* mais dur! Rien que des gars toffes! Des gars qui sacraient comme j'ai jamais entendu, mais du bon monde. Pis, le soir, rien. Pas de femme. C'est ça le pire. On s'ennuie en maudit!

Pour tromper l'ennui, il a sculpté des petits objets dans le bois, au couteau; il a sculpté pour celle qu'il aime et lui a écrit de longues lettres, lui redisant mille fois le même amour, essayant d'inventer des formules nouvelles pour envelopper le cœur de la belle et le garder à jamais, l'éloigner des autres qui rôdent autour, dans la ville pleine de lumière et de gens riches qui tentent certainement de lui enlever son bien. Ce cœur qu'il a gagné sans le secours de la fortune, avec son seul talent: sentiments, poésie, esprit, sincérité, générosité.

Maintenant, il est devant moi, énergique, fier, victorieux: «J'arrive!»

Toute son attitude le crie. Il est sur son char et rentre à Rome par la voie Appienne. Une musique de Respighi l'accompagne. Dans quelques minutes, il ouvrira une autre porte et relancera: «J'arrive!» Mais ce sera comme pour murmurer:

«J'arrive tout couvert encore de rosée
Que le vent du matin vient glacer à mon front»

Vers que nous avons récités des milliers de fois dans la cour de récréation, à Rimouski.

Il faut organiser la vie à deux dans cette chambre, dans cette ville. De mon été de labeur (aide-briqueteur, vendeur de vaisselle incassable et bûcheron), je rapporte la merveilleuse somme de 217 $. Vigneault me dit, sur un ton qui signifie «Je suis riche!», qu'il en a 400 $. Il faut dire qu'il n'a jamais eu autant d'argent dans ses poches. Moi non plus. Il me propose alors, tout simplement (quand on vous dira que Vigneault est généreux, croyez-le), de faire un pot avec les deux sommes que nous possédons: nous vivrons tous les deux de ce trésor. Ainsi, nous avons à peine 700 $ pour deux à une époque où tout étudiant a besoin, en moyenne, du double pour vivre durant une année.

Je ne suis pas en train de nous plaindre. Je dis simplement les choses: la vie est une aventure merveilleuse et, à ce moment-là, rien de plus prometteur, pour Vigneault et pour moi, que cette année qui commence. L'argent n'entre pour rien dans nos préoccupations quotidiennes. Nous savons vivre de peu et, en vérité, rien ne peut détruire en nous cette conviction profonde que la vie est possible dans n'importe quelles conditions, qu'on trouvera toujours quelque chose à manger dans une ville comme Québec... Je me demande si, tacitement, nous ne sommes pas convaincus que le monde ne peut nous laisser mourir de faim puisque nous sommes ce que nous sommes: deux gars qui ont envie de vivre, qui ont besoin et qui méritent d'étudier. (Si on m'avait dit alors que Cervantès est mort de faim.)

L'avenir? Qu'est-ce que l'avenir? Que sera notre avenir? Nous n'en savons rien et nous ne voulons pas y penser. Nous pouvons manger aujourd'hui, mangeons. Demain, nous verrons. Et en avant toutes! Le bonheur, c'est de pouvoir marcher dans la rue et d'avoir l'impression que nous ne mourrons jamais, parce que la vie commence. Non, la vie *est!* Vigneault, obsédé par le problème du temps, est à l'époque un jeune homme qui semble ne pas y penser. Plus tard, il criera, de toute la force de ses entrailles:

Autant le temps me donne autant le temps me prive
Et chacun de mes cris est un pas que je perds
Aux chemins de retour qui mènent vers la mer
Où le martin-pêcheur et le cormoran vivent.

Mais pour lors, le temps n'existe pas; le temps ne coule pas par le petit trou; le temps ne fuit pas. Le temps s'est arrêté entre les murs de la vieille capitale, où Vigneault est prisonnier de sa joie, de son exubérance, du plaisir qu'il éprouve à savourer chaque instant de soleil, chaque bruit de rue, chaque regard et chaque mot échangé avec des humains qui sont là, par milliers, et qui lui ressemblent. Pendant toutes ces années, Gilles a savouré ce plaisir particulier (un plaisir à odeur d'herbe fine) que lui procurait la rencontre d'un autre être: s'apercevoir à chaque instant qu'il n'est pas seul, que des millions d'humains sont sur la Terre, si semblables à lui et si différents à la fois, si personnels. (Vigneault est un homme qui ouvre la porte à peu près à tout le monde.) Et cela occupe toutes ses minutes, toutes ses heures, lui faisant oublier justement que le temps s'est attaqué à lui, à son corps, depuis le premier jour de son existence.

Je sens que vous avez envie de mon petit couplet sur le temps. Eh bien! ce sera court parce qu'il est tard. À mon avis, on peut le vivre, le ressentir, de trois façons différentes. On peut s'asseoir et le regarder passer, impassible: il paraît qu'il y a là une certaine sagesse. Ou bien être pris de panique et courir, se débattre, travailler à le vaincre: beaucoup, semble-t-il, tombent dans ce panneau. Ou bien encore, marcher à la même vitesse que lui. Donner la main au soleil et se balader à ses côtés. Voilà qui me semble le plus sensé. Le seul petit problème, c'est qu'il faut beaucoup de temps pour apprendre à le faire...

Déjà le matin de la rentrée. Un beau matin de septembre. D'abord, un bruissement de robes: robes de religieuses et soutanes. Car les institutions religieuses et le clergé ont les moyens d'envoyer des étudiants en lettres. Pour les autres, il faut, au départ, un grain de folie. Et Gilles me présente à ces quelques fous: Jean-Paul Plante, Jean Saint-Jacques, Cécile Cloutier, Raymond Boily. Il y a aussi Raymond Joly, que je connais déjà. Voilà le noyau des jeunes laïcs qui sont là et qui ont mesuré la Faculté. Tout de suite, je comprends que le sérieux n'est pas dans ce monde, mais quelque part ailleurs, au fond du cœur de chacun. Alors, quand le professeur arrive, tout se passe comme si chacun devait jouer un petit rôle, en attendant le cirque! Puis, nous allons au Cercle des étudiants boire du café et manger des toasts, tout en commentant les événements de la matinée (ce sera le programme de toute l'année). Là, Gilles règne. Tout ce monde qui l'entoure est un auditoire de choix pour les jeux de mots, les tirades, les scapinades... Il s'en donne à cœur joie, tandis que les étudiants sérieux des autres facultés nous regardent, presque scandalisés. Leur opinion est faite: nous sommes de pauvres types qui n'apporteront rien de bon à la province. Comment comparer la circulation sanguine ou le *Code pénal* à un mot d'esprit, à un poème?

Gilles m'emmène chez Mgr Savard: «Mes p'tits enfants...»

La plupart de ses phrases commencent par ces mots, pendant que ses mains, à demi fermées, frappent sa table de travail pour bien marquer sa conviction. Il parle de la bonté (il en est rempli), du retour aux Anciens, de Claudel, de la patience qu'il faut pour apprendre l'écriture, de la vocation des Canadiens français, de tout ce que le passé contient de souffrances et de notre mission à nous, les jeunes: aller aux sources pour faire fleurir une âme neuve dans un chant de grandes orgues. Comment ne pas aimer un homme qui a écrit de beaux livres et qui a suffisamment de grandeur d'âme pour être notre père? Chacune de ces rencontres intimes nous est bienfaisante, agit comme un baume, car nous sommes perdus. Parce que, professionnellement, le monde des lettres ne repose sur rien de tangible. Pas de carrière assurée, pas de syndicat, pas de vrai salaire. Seulement de l'espoir. À ce moment-là, l'enseignement est à peu près entièrement assumé par le clergé et les religieux. Monseigneur Savard semble y penser plus que nous et nous assure qu'il ne faut pas désespérer. Nous ne désespérons pas du tout et, dès que nous sortons de son appartement, nous n'y pensons plus sérieusement.

Il y a autre chose à faire. À Québec, il y a des cinémas qu'il faut fréquenter assidûment. En groupe, parce que c'est plus drôle. Parfois, certaines troupes de théâtre nous rendent visite. Ce sont des événements, à peu près comme c'en étaient à Rimouski. Où faut-il donc aller pour être en ville? Et puis, il y a *La Troupe des Treize* de l'Université Laval. Nous y entrons chaussés de nos gros sabots et nous essayons de monter une pièce de Marivaux, *Le Prince travesti*. Répétitions, idylles amoureuses, promenades sur les plaines d'Abraham. Le temps passe et la Noël s'en vient. S'en viennent aussi les examens et une petite visite chez Mgr Savard. Le père sait tout de nos activités extra-universitaires. D'une phrase, il règle le sort de notre carrière théâtrale: «Laissez donc ces niaiseries-là de côté et préparez vos examens!» Quand même! Nous sommes un peu éberlués de la petite idée qu'il se fait du théâtre.

– Monseigneur n'aime que la poésie. Il ne comprend rien à la valeur profonde du théâtre. Pourtant, il aime Claudel!

Avouez que, pour l'âme délicate des enfants que nous sommes, il y a là tout un problème! Et yac yac yac yac sur le dos du pauvre vieux. Mais nous avons peur, puisque nous obéissons. Marivaux retourne au réfrigérateur et nous essayons de nous astreindre à l'étude. Tout en riant, bien sûr. Parce que le rire nous appartient comme si nous l'avions inventé à partir de la pauvreté qui nous habille.

Et puis, tout d'un coup, nous en avons marre de la Faculté. Non seulement nous, les jeunes laïcs, mais aussi les nonnes et les religieux plus âgés. Une espèce de contestation prend forme avant la lettre. Nous organisons une réunion de tous les élèves dans une salle de cours et faisons le procès des professeurs. Cela dure deux bonnes heures pendant lesquelles nous y allons de nos commentaires. Seuls trois ou quatre maîtres trouvent grâce à nos yeux. Tous les autres devraient être remplacés parce qu'ils sont inaptes, secs, inhumains, livresques. Nous estimons que toutes les langues sont vivantes et que la culture est autre chose qu'une accumulation de notes sur l'Antiquité grecque et latine.

Il faut maintenant aller porter le fruit de nos délibérations au doyen, Mgr Savard. Nous nous y rendons à trois ou quatre dont Gilles et moi, gonflés d'importance et d'illusions. Pour la première fois dans l'histoire d'une Faculté, les élèves osent se révolter. Nous sommes des pionniers! Et puis, on va prendre notre geste en considération, puisque le jugement rendu est unanime. Pas un seul dissident! N'est-ce pas magnifique? Monseigneur ne peut pas ne pas nous entendre!

Monseigneur nous entend d'une oreille douloureuse. Ce genre de choses le fait terriblement souffrir. Alors, il nous explique longuement ce qu'il en est: la faculté des lettres est encore jeune, tout le monde fait des efforts qu'on doit reconnaître et, enfin, le clou du discours, quelque chose qu'on finit par comprendre en retournant les phrases: certains professeurs condamnés par nous ont des contrats non résiliables.

– Des contrats!

Nous ne savions pas que ça existait, des contrats en littérature. En v'là t'y pas une affaire! Des contrats à vie pour venir nous emmerder avec des phrases vides, mortes! Qui a inventé les contrats? Nous en restons bouche bée. En face de notre désir d'apprendre, d'être des hommes formés par de vrais hommes, il y a une chose toute simple qui s'appelle des contrats. Nous qui vivions encore en vase clos, nous venions de mettre un pied dans le monde. Mais pas pour longtemps.

– Retournez à vos cours, mes p'tits enfants. Il faut continuer...

Le père souffre. Il comprend, mais que peut-il faire? Il faudrait de l'argent et une faculté des lettres, ça ressemble à un luxe quand on pense à l'importance des médecins, des ingénieurs, des avocats, des hommes d'affaires... Nous retournons en classe, Gros-Jean comme devant. La guerre n'aura pas lieu parce que... Il doit y avoir des tonnes de raisons, dont la plus vague est peut-être la plus vraie: ce n'est pas encore l'heure. Personne n'est prêt pour l'affrontement entre les institutions et le monde étudiant. Et puis, il y a encore et toujours notre dépendance économique. Nous devons de l'argent à Mgr Parent et au gouvernement. Juste assez pour être considérés comme pauvres et avoir l'obligation de dire merci, d'être sages et de dormir parce qu'il est sept heures. Il ne faut pas déranger les grandes personnes qui sont au salon et qui ont des histoires salées à se raconter!

Mais cela n'empêche pas la vie de tous les jours d'avoir ses propres couleurs. De quoi nous nourrissons-nous? Le soir, en général, de steak haché et, le midi, de jus de tomate, puis de bon beurre de pinotte sur des biscuits soda. De temps en temps, on varie, remplaçant le biscuit soda par du pain et, surtout, le jus de tomate par une canne de soupe Campbell. Ah! cette bonne soupe avec ses grosses nouilles écœurantes. Chaque fois que vous ouvrez la boîte, une merveilleuse odeur de restes de viande vous monte à la tête. Quand vous avez vraiment faim, c'est grisant comme une nuit de juin, ça fait chanter le *Te Deum* à vos narines, tout en désorganisant vos papilles gustatives pour des années à venir. Mais ce n'est là qu'un détail insignifiant. Rien ne nous rend plus heureux que ces boîtes de soupe. Quel nom prestigieux! Jamais je n'oublierai la couleur, la forme et le poids de ces boîtes de conserve si typiquement de chez nous, si symboliques de notre civilisation. Jamais je n'oublierai que sans elles, Vigneault serait peut-être mort de faim avant de devenir le poète qu'il est. Alors, qui aurait pu chanter sur l'air le plus joyeux du monde: *«Tout l'monde est malheureux, tam ti di di li di lam»*? Merci, monsieur Campbell! (Mon Dieu, si j'avais eu la chance de rencontrer Warhol, comme j'aurais pu l'instruire!)

Gilles a de la difficulté à se lever tôt. Ce n'est pas dans sa nature. Le cours du matin, à 8 h 30, est terriblement difficile à attraper. Et puis, il fait froid, en hiver, dans cette vieille capitale. Horriblement froid. Il y a des matins où la chaleur du lit lui est plus douce que le ventre de femme le plus moelleux du monde. Alors, pour sauver du temps et conserver cette chaleur presque fœtale, il garde son pyjama en guise de sous-vêtements, enfile son pantalon et court à la Faculté en descendant la rue Saint-Jean. Évidemment, aux extrémités, ça se voit et on rigole: «Maudit Vigneault!» Que dire de plus? Ce geste ressemble à ses mots, à ses reparties, à ses vers improvisés pour la galerie. Il décrit aussi le personnage qui est en lui et qui ne s'est pas encore vraiment exprimé: l'homme de scène, celui qui accepte de se montrer sous toutes ses faces. «Regardez-moi, j'ai quelque chose à dire!» Je sais, je l'ai déjà écrit, mais il y a du bon à répéter l'important.

Gilles s'est toujours ennuyé de la mer, à Québec plus qu'ailleurs. Il faut dire qu'au pied du cap Diamant, même si un touriste américain peut faire une belle photo, la place occupée par le royaume de Neptune est ridiculement étroite. Gilles s'ennuie donc de la mer. Et quand nous avons passé

une partie de la nuit à bummer, nous allons au restaurant de la traverse de Lévis pour manger un hamburger. Le traversier est là. Un bateau! Alors, sans raison aucune, fatigués, nous embarquons pour faire le voyage, parfois deux aller-retour, entraînés par Gilles qui ne veut pas quitter le pont du navire. Combien d'heures de sommeil j'ai perdues, à cause de ces voyages sans but précis! Mais quand il fait noir et qu'il vente un peu, l'illusion est parfaite. Gilles est allé très loin, sur ces traversiers, aussi loin que Jean du Sud...

Puis, au cœur même de l'année scolaire, quand tout devient gris et qu'on se lasse même des meilleurs professeurs, Vigneault a tout à coup une idée mirobolante:

– On va fonder une revue littéraire!

– Ben oui, ça serait le fun!

– Épatant, dit Jean-Paul, qui a du style, du vocabulaire et de l'embonpoint.

– Ça va s'appeler *Émourie,* reprend Vigneault.

– Quocéça, *Émourie*? Qu'est-ce ça veut dire?

– C'est une expression de chez nous. On dit: «Quelle émourie qui leu's a pris?» C'est une espèce de sursaut, une réaction soudaine, inattendue. Fonder une revue littéraire à la Faculté, c'est une émourie qui vient de me prendre!

On se regarde, on se tâte les parois du cerveau, on ausculte sa matière grise pendant au moins 10 minutes. Fonder une revue littéraire, c'est sérieux! Ça se fait seulement ailleurs, dans les grandes villes, par de vrais écrivains! Mais l'enthousiasme l'emporte et on s'y met. Chacun écrit quelque chose. Qui un conte fantaisiste, qui un poème (beaucoup de poèmes, au fait), qui des propos surréalistes, telles ces quelques phrases de Raymond Boily, dont je ne me souviens plus exactement, mais dans lesquelles il était question d'une jument et que l'on avait trouvées si drôles.

Raymond Joly, Cécile Cloutier, Boily, Jean-Paul Plante, Vigneault et moi. Voilà le groupe, si ma mémoire est fidèle, qui se lance dans l'aventure. Tout le monde met la main à la pâte. Après avoir écrit ou choisi le morceau qu'on veut publier, il faut compiler, critiquer, accepter, corriger, taper, polycopier et agrafer à la main. Cent copies! Ensuite, préparer des affiches et aller les épingler sur les murs des autres facultés: «*Émourie* en vente, 25 cents.»

C'est dans la plus grande joie du monde, dans l'enthousiasme délirant que nous avons accompli ces travaux d'édition et d'imprimerie. Ça nous a coûté des heures de sommeil, ça nous a fait oublier d'étudier, mais nous avons ri, nous avons eu le sentiment de faire quelque chose, de nous dépasser. Autrement dit, nous sommes fiers de l'émourie qui nous a pris. Parce que des revues littéraires à Québec, il n'y en a pas.

Bon, maintenant le bébé est prêt. C'est fait main, c'est pas riche mais c'est nous, c'est notre cœur. Il faut aller en porter un exemplaire à Mgr Savard, notre doyen. Lui aussi, il a le droit d'être fier de nous! Je ne sais pas ce que mes condisciples s'imaginent, mais ils décident que je suis le meilleur délégué possible. Peut-être croient-ils que ma naïveté toute naturelle et si apparente sera d'un bon effet? Toujours est-il que je frappe à la porte du père et que j'entre dans son repère. Il est assis au fond de son bureau étroit, sombre, adjacent au secrétariat. Je vois, au premier coup d'œil, qu'il a l'air morose et c'est d'un pas mal assuré que je marche vers lui. Je me sens déjà comme l'enfant qui a fait une faute mais qui ne sait pas très bien laquelle: «Je vous apporte une revue qu'on a faite, monseigneur.»

Je ne sais pas comment ça se fait, mais il en a déjà un exemplaire sur son bureau. Il prend celui que je lui tends, le feuillette et dit, profondément attristé: «Oui, j'ai vu ça! Y a rien de canadien là-dedans.»

Il laisse tomber sa remarque avec lenteur, avec lourdeur: le poids de la paternité! Il est désespéré. Nous ne le suivons pas à la trace, en Abitibi, où il a fabriqué son *Abatis*. Dans *Émourie*, il n'y a pas de paysans, pas de petits oiseaux, pas de charrue, pas de lait, pas de bûcherons. Rien de tout ce qui est notre patrimoine. Dans *Émourie*, il y a des mots. Rien que des mots plus ou moins maladroits, premiers signes d'une révolte contre notre hibernation.

Profonde déception de tout le groupe, il va sans dire, et chez Vigneault quelque chose qui s'apparente au choc. Ces petites secousses grâce auxquelles on se détache de l'arbre. Il faut se libérer du père si on veut être profondément soi-même. Grâce à ce petit événement, c'est fait. Jusqu'ici, parce qu'il est plein de sagesse, nous avons écouté monseigneur d'une oreille attentive; nous avons seulement souri quand il nous lisait un poème un peu long sur les hirondelles; mais nous avons tout de même écouté. Maintenant, c'est fini. Chacun son chemin!

Cette petite brouille de collégiens dure quelques semaines. Un jour, notre doyen rencontre Gilles dans la rue. Le père spirituel semble souffrir plus que son fils poète: il lui dit qu'il est désolé, qu'il s'est peut-être trompé, qu'il faudrait faire quelque chose, continuer à publier la revue... Alors, comme une grande coquette qui sait son rôle par cœur, Gilles de répondre:

– Ah non! monseigneur, vous nous avez coupé les ailes une fois, maintenant c'est fini!

Le fils rigole avec la méchanceté propre à son âge. Comment faire autrement, quand on lui offre une aussi belle occasion de s'affranchir? Bien sûr, il ne reste de tout cela que la belle poussière du souvenir. Monseigneur Savard a enseigné une chose à Gilles, qui lui est très précieuse et qu'il reconnaît devoir à son maître: l'exigence.

Pour le reste, l'année se termine en beauté. Le printemps est magnifique et l'amour plane sur les plaines d'Abraham, sur la terrasse Dufferin ou sur les vieux murs. Et nous prenons une grave décision: nous allons déménager. Petit conflit avec notre propriétaire de la rue d'Artigny: la brave femme, qui nous donne souvent à manger, semble vouloir recevoir en retour quelque chose que nous n'arrivons pas à définir exactement, une espèce d'amour filial que nous ne démontrons apparemment pas. «On paie pas des bines avec des sentiments!»

Voilà à peu près comment nous résumons le problème, et en avant toutes! Mine de rien, nous avons un tout petit peu appris à être citadins, c'est-à-dire à penser que nous avons droit à tel morceau et à le manger.

Mais, au moment de transporter nos richesses, nous nous apercevons que la bourse est vide. Il nous reste exactement 80 sous. Nous décidons alors de vendre du linge. Nous en avons tellement! Et d'entasser, dans un vieux coffre en bois, tout ce que nous possédons de vieux pantalons, plus un vieux manteau (un seul vieux manteau que nous portions chacun notre tour, selon les circonstances).

– Y en a pour combien?

– Au moins 20 piastres!

– Ah oui! On est riches!

Il faut aller vendre ce trésor aux *pawn shops* du bas de la ville. Mais comme le coffre est très lourd, on a droit à un taxi. De sorte que, lorsque nous en sortons quelques minutes plus tard, nous nous séparons de nos dernières 80 cennes. Ça y est, nous n'avons plus rien que notre coffre plein. Joyeusement, la promenade commence. Le premier brocanteur, regardant à peine le morceau qu'il y a sur le dessus, le soulève avec un dédain non dissimulé. Aucun respect, ce commerçant: «Non, y a rien pour moi là-dedans.»

Que voulez-vous, Québec, c'est pas une ville pour les affaires: c'est une ville romantique!

Le soleil est de plomb, comme il sait l'être seulement dans ces circonstances, et les poignées du coffre nous écorchent les mains. Marche; marche; marche. De quoi demain sera-t-il fait? On s'en fout! Demain est dans un coffre fermé et c'est le soleil qui en a la clé. Marche; marche. Comme le Ti-Jean du conte! Un autre brocanteur: «Pas intéressé à ça.»

Marche; marche; marche. Rien dans les mains, tout dans le coffre. Nous le déposons par terre, au pied des remparts, nous nous asseyons dessus et rions. Nous rions parce que nous nous regardons; parce que nous nous voyons, incongrus, tellement seuls tous les deux, d'une jeunesse à toute épreuve. Les voitures qui menaçaient de nous écraser à ce moment-là, au milieu de la rue, sont toutes détruites aujourd'hui tandis que notre espoir n'est pas encore mort!

Marche; marche; marche. Finalement, à la fin de la journée, le dernier brocanteur s'intéresse au vieux manteau. Il le tâte, le soupèse, l'examine comme on le ferait pour une vieille bête aux origines obscures et laisse tomber:

– Deux piastres et demie...

– Vous voulez pas autre chose?

– Non. Le reste vaut rien.

Avec nos 2,50 $, nous remettons le coffre dans un taxi et remontons la côte jusqu'à la rue Sainte-Famille, riant de notre naïveté. Ce matin, nous étions riches de 20 $ et maintenant, sans avoir rien dépensé, nous n'avons plus que 2,50 $! Coût de la course: 50 sous. Voilà, avec chacun 1 $, nous allons pouvoir souper. Demain nous verrons...

La vie s'organise au numéro 4 de la rue Sainte-Famille, dans une chambre du quatrième étage. Je partage un lit double avec Gilles, et le Grand Mike, qui est venu se joindre à nous, s'étend sur un petit lit pliant. Ses longues jambes dépassent de trois ou quatre pouces. Nous avons une table, un tourne-disque, une radio et des livres. Pas tellement de livres, au fait. De la poésie, surtout, que Vigneault a déjà lue et que je dévore pendant qu'il fait la cour à sa dulcinée.

Il y a des soirs où nous sommes là tous les trois, nous regardant, riant, cherchant à comprendre ce que nous faisons en réalité de ces jours qui s'enfilent les uns à la suite des autres comme des perles invisibles. C'est le printemps, je m'en souviens très bien. C'est le printemps, la ville est chaude et sent le désir, la pantoufle, le jupon, le bouton de rose et le bassin Louise, dont les effluves montent jusqu'à nous, accompagnés du grognement des bateaux en partance. On rêve à quelque chose qui a germé depuis longtemps au creux de son estomac, de ses tripes et de son sexe.

On suit quelques cours, sans goût, parce que tout cela est dépassé. On marche, on monte et descend la rue Saint-Jean, puis la rue Sainte-Famille, puis la côte du Palais, écoutant les bruits de cette ville tranquille qui fait semblant de s'exciter; cherchant des images; recueillant des odeurs, des bruits, des sons, des regards échangés au hasard des milliers d'yeux qui se croisent sur un trottoir. On fait ça tout le jour, ou à peu près, éblouis par les richesses qui nous entourent. Dans les vitrines, il y a du linge pour des milliers et des milliers de dollars, des bijoux pour des millions. Et il y a des gens qui entrent dans ces magasins, disent: «Je veux ceci ou cela», paient puis sortent avec l'objet de leur désir. Il y a des milliers et des milliers de personnes qui se lèvent le matin, vont travailler, reviennent dans leur voiture neuve, ouvrent leur frigo, boivent de la bière ou n'importe quelle autre boisson, mangent du rosbif, du jambon, de la soupe maison, du steak, du fromage, des fruits et des légumes frais. Il y a le monde normal en marche, en marge de nous. La Faculté, qui se présentait à nous comme un phare, n'est plus à nos yeux qu'une vieille balise perdue au milieu d'un champ balayé par les grands vents, dans l'indifférence totale. Tout comme au collège, il faut maintenant «faire notre temps». Après, on verra. Mais je dois dire que cela ne nous apparaît pas de façon très claire.

En tout cas, malgré le vide, malgré le désert qui nous entoure, il n'y a pas de panique. Non. Toujours l'œil rivé sur le monde, l'œil ouvert, absorbant les images comme autant de promesses, emmagasinant chaque moment de la journée comme une chose précieuse en soi. Jamais nous n'avons été si près d'une grande vérité: la valeur du moment présent, la grandeur de l'unité de temps. On marche sans but, comme pour faire chevaucher l'espace par le temps. On nage dans le luxe des grandes valeurs, les valeurs qu'on ne peut pas mesurer. Et c'est par l'un de ces magnifiques soirs de mai, après des heures de marche épuisantes, que le Grand Mike s'écrie: «Qui dort dîne. Couchons-nous, Christ!»

Parce que nous avons faim et que, sur la table, près de la fenêtre, il n'y a que de la gelée de pomme. Nous rions comme des fous, justement parce que c'est tout ce que nous avons et qu'il faut en garder pour nos toasts du lendemain matin. Vigneault adore la gelée de pomme: il en met toujours une tonne sur son toast probablement parce que c'est sucré, et il mange en riant, les dents longues. Il fait des plaisanteries sur notre saleté, sur notre indigence, sur les cours, parodiant les professeurs, cherchant un mot, un vers, n'importe quoi qui soit léger. Oui, léger. Mon Dieu, donnez-nous deux tonnes de léger quotidien! Dans les grandes catastrophes, il faut danser.

Mais, dans notre cas, la catastrophe est quelque chose de flou, sans contours, un peu comme une toile d'impressionniste. La dernière guerre a eu lieu et n'est plus qu'un souvenir lointain. D'autant plus lointain qu'elle s'est déroulée pendant que nous étions dans l'œuf du pensionnat. Bon. Duplessis est au pouvoir et toute la province lui obéit gentiment au doigt et à l'œil. Le monde tourne. Rouge à Ottawa, bleu à Québec! Et la Constitution canadienne, on n'y pense pas. Ça a été réglé en 1867. Le bâtiment va. En réalité, il se dirige à pleines voiles vers des récifs, mais personne ne le sait. Nous, moins que les autres. Et en haut, Dieu existe à peu près. S'il a perdu plusieurs poils de sa longue barbe blanche, il est toujours là. On le salue au passage, craintivement.

Quant à la politique, elle ne nous dérange pas, elle nous fait même rire de temps en temps. Par exemple, en 1953, un journaliste de Québec a terminé son éditorial par cette phrase: «Que Staline se le tienne pour dit!» Imaginez-vous Staline pris de panique parce qu'un journaliste de Québec n'est pas d'accord avec sa politique! Cette petite phrase nous a fait rigoler pendant au moins une semaine!

Alors, s'il y a un malaise, de quelle nature est-il? Est-ce profond et insondable comme le spleen de Baudelaire? Non. La nuit, quand on ne dort pas et qu'on est en groupe dans le Vieux Québec, on fait pipi sur des monuments, pour rire, pour faire comme les belles Romaines de Juvénal, mais, contrairement à ces antiques femelles, on n'est pas ivres (nous n'avons pas les moyens de boire). Contre quoi protestons-nous? Peut-être contre nous-mêmes. Peut-être y a-t-il une partie de notre être qui est fatiguée d'être enfantine? Par exemple: Vigneault est toujours amoureux et il voudrait se marier. Mais pour se marier...

Voilà. Il est temps, dit le corps au poète, de penser à toi-même. Le malaise qui nous poursuit depuis quelque temps a le visage le plus familier du monde. C'est celui du bien-être de la personne humaine. *Mener une vie normale.* Cette expression, on ne la prononce même pas, mais sans doute y pense-t-on inconsciemment. Et, comme pour donner un commencement de réalité à sa vie, Vigneault vient de réussir ses examens. Le voilà engagé comme commis à la librairie des Presses universitaires, où le grand Mike travaille déjà (on se tient). Inutile de parler du salaire qu'il touche. Illusion, je vous dis! Il ne s'agit pas d'une situation ou d'une position, mais d'un job en attendant. En attendant quoi? On ne sait pas encore. La rage des études n'a pas encore déferlé sur le Québec et les élèves sont rares. De toute façon, voilà bien de quoi m'inviter au restaurant une fois par semaine, le dimanche midi. Menu à 1,35 $. Eh oui! mon copain est salarié! Pour lui, ce geste est tout na-turel. Et nous en profitons, à chacune de ces occasions, pour faire un petit concours amateur de cleptomanie: lequel des deux partira avec un élément du couvert sans que l'autre ne s'en aperçoive? Au cas où la littérature ne paierait pas, on s'entraîne à l'espionnage! Ou à la prestidigitation!

La vie à trois dans cette chambre pourrait bien être in-fernale s'il n'y avait certaines distractions. Ainsi, nous avons une voisine de palier qui nous aime terriblement. Elle m'achète une bouteille de vin sucré de temps en temps, ou elle vole un peu les touristes américains pour m'offrir quelques-uns de ces beaux dollars qui ne sont pas de la même couleur que les nôtres. Elle travaille dans un res-taurant, me dit-elle, et elle a trouvé un portefeuille. Vei-narde, va! Mais elle est horriblement laide, sale et vieille. Au moins 40 ans. Un pied dans la tombe, quoi! Comme nous devons nous laver et nous raser au lavabo qu'il y a sur le palier, nous la voyons toujours sortir de sa chambre à ce moment précis, comme par hasard, vêtue seulement d'une culotte et d'un soutien-gorge. Alors, elle se met à cheval sur la rampe de l'escalier pour accomplir quelques gentils mouvements qui, normalement, devraient nous mettre en train. À cause de cela, dans notre naïveté, nous l'appelons «la putain». Quand je pense qu'elle n'aurait même pas pu exercer le métier. Je suis sûr qu'elle était tout simplement une pauvre fille qui torchait quelque part et s'ennuyait horriblement, le plus naturellement, le plus sainement du monde. Si seulement elle avait eu l'intelligence de se laver...

La fin d'une étape

Nous sommes en 1953 et Vigneault vient de quitter le monde étudiant pour entrer sur ce qu'on appelle le marché du travail.

Pour la plupart d'entre nous, la différence entre l'état d'étudiant et l'état de travailleur gagnant vraiment sa vie est ressentie de façon profonde. Je me souviens, pour ma part, que le jour où je suis passé de l'un à l'autre j'en fus bouleversé. Mais je n'ai pas l'impression que ce passage fut tellement ressenti chez Vigneault. À première vue, cela peut sembler paradoxal, étant donné sa sensibilité un peu particulière. Pourtant, si on y regarde de plus près, on peut voir qu'il dépassait déjà ce côté matériel de la vie. Il était dans un état supérieur, si je puis dire, comme il l'avait toujours été. Dans le quotidien, il venait de franchir une étape, mais le poète continuait à marcher dans les rues de Québec, reniflant, fouinant, examinant des regards, humant le monde comme auparavant, se préparant à écrire, 10 ans plus tard, *En descendant la rue Saint-Jean* (le père et l'espace parcouru). Vigneault continuait à faire des poèmes, à aimer, à rigoler, à être ce qu'il avait toujours été: un homme en quête de vie sous toute forme. Bien sûr, l'étape des études franchie, il se rapproche de plus en plus de son union avec la femme qu'il aime et c'est très important. Mais je ne crois pas que, pour lui, ce soit fondamental. L'heure des interviews n'a pas encore sonné. Demandons-le-lui quand même:

– Qui es-tu, Gilles Vigneault?

– Je suis un poète. Il me semble que cela veut tout dire. Je suis poète. Je chante. J'aime Charles Trenet, j'aime la mer, les hommes en général et les femmes en particulier. J'aime follement une femme en particulier. Je trouve que l'amour est la chose la plus importante du monde. La seule chose! La seule, vraiment. J'aime mes parents, mon pays, la Côte-Nord. J'aime le corps humain, le corps de la femme surtout! J'aime! J'aime mieux aimer que détester.

– Et la beauté?

– Je crois que la beauté se confond avec l'amour, jusqu'à un certain point. C'est très difficile à atteindre, mais je sais bien que je passerai ma vie à travailler à cela. Et même si je ne fais que parvenir à entrevoir la beauté, je serai heureux en mourant.

– Et Dieu?

– L'image qu'on m'en a donné s'estompe de plus en plus. Il existe probablement. Sans doute, mais sous quelle forme, je ne saurais le dire. J'ai tendance à ne plus penser à lui très souvent.

– Et l'argent?

– On a besoin d'argent pour manger, pour se vêtir et pour se loger. Ça, c'est l'essentiel. Pour le reste, je sais bien que le monde se bouscule pour s'arracher des millions, mais ça ne m'intéresse pas. Je ne suis pas né pour être riche et c'est très bien comme ça. Je m'en fous. Tout ce que je veux, c'est vivre honnêtement.

– La politique?

– La politique se fait en dehors de nous, par des hommes qui aiment les manigances, les combines, la puissance. C'est un monde qui m'est étranger.

– Mais tu as le droit de voter! Tu votes!

– Oui, j'ai le droit de vote depuis deux ans, mais est-ce que je peux vraiment savoir pour qui je vote? De toute façon, on peut voter pour n'importe qui, ça changerait pas grand-chose. Tous ceux qui se lancent en politique sont pareils. Quand ils sont élus, ils se fichent pas mal des électeurs.

Il faut noter que je me substitue à Vigneault pour les réponses, croyant rendre avec assez de justesse ce qu'il pensait à l'époque. Tout comme au temps du collège, nous

116

avions à peu près les mêmes idées sur ce genre de problèmes.

À la fin de l'été, nous nous retrouvons dans une autre
chambre, pas très loin de la terrasse Dufferin, au numéro 37
de l'avenue Sainte-Geneviève. Derrière nous, il y a la colline de la Citadelle, des murs de
pierre qui nous impressionnent,
la vue sur le fleuve et sur l'île
d'Orléans, puis les traversiers de
Lévis. Devant nous, un petit espace vert, de vieilles maisons
grises, des toits usés et une odeur
qui traîne. Une odeur de vieille
chose que l'on garde avec amour.
On a l'impression que le temps
s'est arrêté pour se coller aux
vieilles pierres. Le temps et la
pierre se regardent, n'en finissent plus de se dire qu'ils
s'attendent, assis tous les deux sur le seuil de l'éternité. Bref,
l'endroit est charmant.

La chambre n'est pas très grande, mais nous avons
chacun notre lit! Autre amélioration: il y a un lavabo à
l'intérieur et une douche au bout du couloir. Il y a même
une cheminée qui fonctionne à merveille (c'est là que
brûleront toutes les vieilles boîtes de l'épicier Bardou). Nous
avons perdu le Grand Mike, je ne sais plus pour quelles
raisons, mais sommes toujours ses amis. Je retourne à la
Faculté pendant que Gilles continue son petit travail. La vie
est simple et tranquille, du moins en apparence. Aux Presses
universitaires, Gilles lit de tout. Il commence à croire aux
soucoupes volantes, aux extraterrestres en général. Je pense
que c'est à ce moment-là qu'il découvre le roman policier. Il
lit du Peter Cheney à longueur de journée.

– Qu'est-ce que tu lis?

– *De la coco pour Satan.*

Rien que le titre le fait mourir de rire. Mais la conversation s'arrête là. On ne peut plus lui parler. Il lit en
mangeant, en se délivrant, en travaillant et peut-être aussi

en dormant. Maintenant qu'il est libéré des lettres, il peut lire...

Il achète des livres, même si son salaire est minime. Comment s'en empêcher quand on les manipule toute la journée? Étant donné les circonstances, ce n'est pas très raisonnable. Gilles le sait très bien, mais s'il y a un jeu qu'il adore jouer, c'est celui de l'homme à l'aise. Tout comme il a souvent joué à l'homme qui n'a pas froid. Je l'ai vu descendre la rue Saint-Jean, en plein hiver, portant un mince imperméable ouvert aux quatre vents, l'air dégagé, dans une attitude qui disait: «Je me sens parfaitement bien, je n'ai pas froid!» Pourtant, croyez-moi, il faisait froid.

Quand il achète des livres, il les apporte à la chambre et les range fièrement sur les rayons qu'il a fabriqués avec deux bouts de planche et des briques. Il me fait comprendre, par son attitude, qu'il gagne sa vie, qu'il est quelqu'un. Il achète! Comme tout le monde! C'est nouveau et très important. Ça libère, ça donne confiance en soi, ça vous donne le sentiment d'être entré dans l'âge adulte.

Pour le reste, l'année se déroulera normalement, sans incident ni accident, du moins en ce qui le concerne. Les semaines sont réglées comme du papier à musique: lundi, mercredi, vendredi, nous sommes ensemble s'il n'y a rien de mon côté. Les autres soirs, il y a sa blonde. Plus le temps passe, plus ils s'aiment. C'est du délire. Le soir où il ne va pas la voir, il peut passer une heure au téléphone à lui parler à voix basse, ou même à ne pas lui parler. Ils écoutent tous les deux le temps passer. Gilles appelle ça des téléphones d'amour... Touchant! Moi, avec mon vieux fond de paysan, je trouve la chose un peu exagérée, mais, tout compte fait, il faut admirer la franchise et la simplicité avec lesquelles il laisse l'amour sortir de lui. Tout comme il a dit autrefois: «Je suis poète, écoutez-moi», aujourd'hui il dit: «Je t'aime». «Je l'aime! Vous voyez bien que je l'aime et que c'est la plus belle chose au monde!» Sans le savoir, il se prépare à crier, sur la scène:

Pendant que les bateaux (...)
Moi, moi, je t'aime...

La première fois que j'ai entendu cette chanson admirable, c'était au Palais Montcalm, à Québec, un soir de première, et j'ai été pris d'une espèce de fou rire. Étrange. La salle comble était gonflée d'émotion, et moi, en l'entendant hurler: «Je t'ai-ai-ai-ai-ai-me», je me suis mis à rire. Cette envolée musicale me faisait penser à toutes les fois où je l'avais vu et entendu gueuler dans les couloirs du collège ou dans les rues de Québec, de même qu'à ces moments où, amoureux, il se laissait couler à pic dans cette mer qu'on appelle l'amour. «Maudit Vigneault!»

L'amour de Gilles, pour l'objet qu'il choisit, est absolu, total, énorme. Voilà pour la quantité. Pour le reste, il est plein de révérence, chargé d'idéalisme et de contradictions. L'âme et le corps s'entremêlent, se débattent, jouent souvent à cache-cache. Depuis toujours, nous entendons dire: «Les quatre cinquièmes du mal qui existe dans le monde viennent de la chair. Et la chair, c'est toujours la chair de la femme. C'est la femme qui montre ses seins, ses jambes, puis ses cuisses, et après... le trou de l'enfer!» Or, étant un homme normal, il ne peut s'empêcher de trouver beau le corps de la femme. Rien de plus excitant qu'une jambe, que la naissance d'un sein ou qu'un bout de cuisse, ne serait-ce qu'aperçu l'espace d'un moment.

Dans son œuvre, pourtant, dans ses poèmes et chansons, il trouvera le moyen de dire l'amour le plus profond de la façon la plus poignante sans jamais toucher à ce qu'on pourrait appeler, de façon globale, l'amour physique. Je laisse à ceux qui font des thèses le soin de palabrer sur ce sujet. Je dis seulement que c'est un véritable tour de force de sa part.

L'année suivante nous retrouve toujours dans la même chambre, dans la même situation en tant que ménage, mais je suis maintenant employé à la Télévision de Québec et Gilles est en train de vivre l'une de ses expériences les plus drôles. Drôle? Quel euphémisme! Vigneault professeur! Et tout ce qu'il a pu trouver comme élèves, ce sont les soldats de Valcartier, à qui il enseigne les mathématiques et l'anglais! Mieux valait en rire qu'en pleurer. C'est ce que nous fîmes en attendant la création d'un ministère de l'Éducation.

Mais pour traverser cette épreuve sans incidents majeurs, il a fallu que Gilles déploie toute son adresse, son sens du jeu, son charme et un humour que seuls des officiers, fonctionnaires habitués aux grandes manœuvres, pouvaient comprendre. Car il ne connaissait pas plus l'algèbre et l'anglais que le chinois. Pourtant, ses élèves étaient contents parce que, avec lui, s'il restait beaucoup d'inconnu dans une équation, il s'y trouvait toujours quelque chose de comique. Ainsi, pour ce qui est de l'anglais, il sut parfois l'enseigner de façon étymologique: «Un jour, dit-il à ses élèves, un homme eut un enfant de sexe féminin. Comme il voulait lui inculquer l'horreur de la guerre, il le baptisa Antigone.»

Le tout n'allait cependant pas sans inconvénients. Par exemple, il devait se rendre chaque matin à Valcartier dans un autobus qui avait la désagréable manie de quitter Québec à huit heures. En pleine nuit! Quand Gilles ne parvenait pas à s'éveiller, pour des raisons qui tiennent de son métabolisme le plus intime, il lui fallait faire le voyage en taxi. Le salaire de sa journée se trouvait alors mangé avant même qu'il ait ouvert la bouche pour gagner son pain. Alors, il gueulait un bon coup, furieux contre lui-même et peut-être contre cette malédiction: être obligé de gagner sa vie...

Grâce au salaire fabuleux qu'il toucha cette année-là, il put faire sortir la perle de son écrin. Ce fut le mariage. Au début du mois de juillet 1955, par un jour affolant de soleil et de joie, je me suis trouvé tout à coup sur le quai, pas loin du bassin Louise, et j'ai crié des mots d'adieu à Vigneault qui, appuyé au bastingage d'un petit bateau, partait pour Natashquan avec femme à son bras, un peu comme John Débardeur. Cette image du bateau en partance avec au moins un homme heureux à son bord, voilà des années qu'il la traînait dans sa tête et voilà qu'il la réalisait enfin. Il avait gagné quelque chose! Lui, le dépourvu qui était parti de la maison paternelle 13 ans plus tôt avec des sentiments et de l'idéal pour tout bagage, retournait chez lui avec une femme! Plus tard, il chantera:

J'ai fait cinq cents milles
Par les mers et par les eaux
Pour découvrir que le monde
A commencé par une sorte de
Tam ti di lam tam ti di di la di lam

Une femme, c'est peut-être aussi une sorte de «*Tam ti di lam tam ti di di la di lam...*»

Pour paraphraser Vigneault, disons qu'il est venu à la ville avec des bruits de village dans les oreilles et de la danse aux pieds. Dans son sac, il y avait de l'espoir, des mots d'hommes qui souffrent et qui aiment; des danses de joie par lesquelles on lutte contre le temps, la faim, la misère; des cris, des mots inventés, des rires francs qui appellent les plaisirs de l'amour. C'était cela qu'il avait dans sa besace, plus quelques vieux airs qui traînaient dans sa mémoire. Pour le reste, il a fallu de l'imagination. Du talent! Fidèle à ses racines, Vigneault retourne chez lui, au père et à la mère, au lieu d'aller en voyage de noces à New York ou

«Solidement attaché à son coin de terre et à ceux qui le battent sans cesse de leurs semelles, depuis des générations.»

ailleurs: «Je suis de Natashquan et je ne peux pas l'oublier!» Là-bas, il a des amis d'enfance qui ne sont pas instruits mais sages, et il est encore avec eux. Il le sera toujours puisque, plus tard, il les nommera dans ses chansons et ses poèmes, prouvant qu'il est solidement attaché à son coin de terre et à ceux qui le battent sans cesse de leurs semelles, depuis des générations. Cette fidélité, il en est encore l'esclave heureux, tout comme il en était rempli, le jour où je l'ai connu. J'ai eu le grand plaisir de rencontrer quelques-uns de ses amis, à Natashquan, comme Léo, Jean-Pierre, Jean-Paul, Nénel et Ti-Can. Des hommes extraordinaires qui vous obligent sans le savoir à vous regarder et à vous voir tel que vous êtes.

Vigneault dit volontiers qu'il n'aime pas Montréal... sans la connaître. Rien ne l'attire dans cette métropole. Moi, je veux savoir. Donc, heureux tous les deux, nous nous séparons sans même nous donner rendez-vous. Je ne sais pas quand je le reverrai, mais ça ne fait rien. Je sais seulement de façon absolue que notre amitié ne peut pas mourir. Tout comme il est fidèle au pays où il est né, aux enfants qui ont joué avec lui à Natashquan, je sais qu'il sera fidèle à notre histoire à nous, petite histoire de quelques années qui ont servi de tremplin pour nous faire plonger tous les deux dans le futur. Et tous les soirs on se couche en se disant que le lendemain, ça va être vrai, jusqu'au jour où on ne se réveille plus!

Oui, c'est aujourd'hui seulement que cette séparation me touche, alors que, sans être vieux, nous ne sommes déjà plus jeunes et que ces années de séparation ont apporté leur lot d'aventures, d'émotions, de désillusions et de créations. Fier, Gilles s'expose à nous qui restons sur le quai. Il part pour un petit coin de terre privé de biens matériels et, dans ses yeux, je vois chanter des noms comme Singapour, Bombay, Beyrouth, Alexandrie, Port-Saïd, toutes les perles de l'Orient dont vous pouvez rêver. Il est fier et heureux parce que, en 13 ans de vie parmi les citadins, il n'a pas trahi. Voilà pourquoi Natashquan ressemble à Bombay, ou à Hambourg, ou à tout ce que vous pouvez imaginer.

– Salut!

– À betôt!

Je m'éloigne du quai et je me sens bien. Léger, heureux moi aussi, parce que j'éprouve le besoin incoercible de me faire dévierger par la vie.

Un peu de temps et puis...

P endant les deux années qui suivent, je ne le vois pas
beaucoup. Je suis à Montréal, perdu dans la fièvre de
la télévision qui champignonne de façon délirante, et
Gilles est à Québec, enseignant, se faisant des amis que je
ne connais pas. Il écrit toujours, flâne toujours, marche
toujours, montant et descendant la rue Saint-Jean jusqu'à
l'écœurement, jusqu'à rêver de ce tour de Terre qu'on
ferait si on allait tout droit devant soi pendant des années.
Ce sont des jours plus ou moins gris et difficiles: recherche
de la voie et insécurité de l'emploi. La province n'a pas
encore besoin de 100 000 emplois par an et, d'autre part,
le Front commun intersyndical n'existe pas encore. On ne
peut avoir tous les bienfaits de la Terre en même temps!
Une récolte par saison!

Je l'ai vu cinq ou six fois en deux ans. En 1957, il vient à
mon mariage. Je crois que d'une rencontre à l'autre nous
continuons toujours la même conversation, mais quelque
chose a changé. Nous nous épions. Comment se tient l'autre
dans ce qu'on appelle le monde? Et quelles sont les illusions
qui traînent encore? Bien sûr, plusieurs sont tombées au
champ d'honneur, mais ça ne fait rien. L'espoir est toujours
là. Capital.

Toujours est-il qu'à mon mariage, je ne sais plus par quel
concours de circonstances, il arrive dans la salle de réception
en portant le gâteau, marchant dans le style des grandes
pompes, solennel. Il rit. Puis, il sourit en me regardant. Je
n'ai jamais oublié ce sourire. Il faudra bien un jour que je lui
demande ce qu'il voulait dire. Nous ne parlons pas. À part le
oui fatal, un homme ne peut rien dire ce jour-là. Nous nous

serrons la main longuement, Gilles et moi, et je pars pour l'Europe tout de suite après avoir découpé le gâteau pour les invités. Impossible de savoir quand nous nous reverrons, mais ça n'a pas d'importance. Nous sommes encore à l'âge où l'espace et le temps se chevauchent, au galop, les yeux fermés. Nous allons tous les deux vers le nord du nord, chacun de notre côté. Et comme la Terre est ronde, nous nous croiserons fatalement. C'est tout naturellement que j'ai confiance en cette logique et je pars sans émotion.

À Paris, je reçois une lettre de lui. Une seule en deux ans, mais écrite en alexandrins. J'espère la retrouver un jour, parce qu'elle était drôle.

En 1959, je débarque de l'*Homéric,* à Québec. Revenir d'un séjour en France était encore un événement. Aujourd'hui, si vous voulez vous signaler, vous refusez d'aller voir ailleurs ce qui s'y passe, heureux de vos Laurentides et de votre Gaspésie, de la poutine et du sirop d'érable. Vigneault est donc là, au débarcadère. Le sourire, les dents, la chevelure encore assez fournie, et la joie de se retrouver. Une vraie joie. Et tout le train-train habituel des retrouvailles. Mais il y a une surprise. Nous nous réunissons

chez mes beaux-parents et un petit 45 tours tombe sur la table du tourne-disque. J'entends un bruit de guitare qu'on frappe au dos pour marquer le temps, puis un soupir énorme, et enfin la voix de Jacques Labrecque:

Le cul su'l bord du cap Diamant,
Les pieds dans l'eau du Saint-Laurent...

Nous buvons de la bière. Vigneault sourit:

– C'est moi qui ai écrit ça. Paroles et musique, toute l'affaire!

Il m'a eu. Je reste bouche bée. Nous écoutons la chanson au moins 50 fois dans la journée. C'est la fête! Je reviens de loin, de si loin! Subitement, je me retrouve doublement plongé dans la réalité. D'abord par les gens qui m'entourent, que je retrouve si pleinement, si réellement de chez nous, et aussi par cette chanson que Gilles nous lance à la figure: elle est pleine de choses qui nous appartiennent, qui parlent de nous tous, et cela, avec la verve propre au poète. C'est le vrai Vigneault que je retrouve! Nous sommes en 1959. Duplessis règne encore. À Paris, je viens de voir *Hiroshima mon amour* d'Alain Resnais. Après la projection, je me suis assis à une terrasse, sans trop parler, avec un critique de cinéma très intelligent. On ne sait plus ce qui se passe. Le monde artistique est en train de prendre un virage. Ça tourne. Ici, tout repose en paix encore. Pourtant il y a cette chanson qui gigote sur un rythme du diable, avec des mots qui semblent amorcer une certaine libéralisation. Je ne parviens pas à saisir la portée de ces phénomènes, mais je sens bien qu'au fond de l'éprouvette le liquide est en train de changer de couleur.

– À part ça, qu'est-ce que tu fais?

– Des petites choses, répond Gilles. J'ai écrit des chansons, puis j'enseigne. J'ai même enseigné à la faculté des lettres.

– Es-tu fou!

Ces revirements sont tout simplement adorables! Gilles n'a jamais eu l'air d'un professeur. Il y a quelques années à peine, les maîtres le regardaient même d'un peu haut avec leur formation! Mais la littérature, Gilles connaît ça. Et le langage d'un poète, il peut le déchiffrer, le démonter, l'étaler devant les forts en thème.

– Comment ça se fait que c'est Labrecque qui chante *Jos Montferrand*?

– Je l'ai rencontré dans un bar. Il m'a demandé ce que je faisais. J'ai répondu que j'écrivais des chansons, dont une qui commençait par «*Le cul*». Ça l'a, comme qui dirait, piqué au vif.

– Merveilleux! Labrecque, c'est un nom! Y a-t-il un espoir du côté de cette carrière?

– J'ai un contrat avec Labrecque...

Extraordinaire! Un contrat pour écrire des chansons! Une licence en lettres, ça serait donc un peu comme le journalisme! Ça pourrait vous mener n'importe où!

Puis, le soir tombe et nous nous séparons après avoir continué tout naturellement une conversation interrompue pendant deux ans. Je me retrouve subitement à Montréal, replongé dans mon boulot de réalisateur à la télévision. La ville n'est plus la même. Pendant mon absence, il y a eu la grève des réalisateurs et tout a changé de couleur. Le monde artistique a vieilli. Des griffes sont sorties.

C'est seulement à Noël que je revois Gilles, chez lui. Il est entouré d'une foule de jeunes gens. Son appartement est plein. On dirait qu'il a une espèce de cour, déjà! Il a besoin de ça: pour s'isoler, il se fait envelopper. C'est seulement quand ça gronde autour de lui qu'il entre en lui-même, dirait-on. Mais ce n'est pas le moment de se lancer dans les grandes discussions: «Joyeux Noël, prends un coup!»

Les jeunes qui l'entourent sont à peu près tous étudiants. *Émourie* continue de paraître, grâce à une petite subvention et au travail acharné de quelques-uns, de Gilles surtout. Vigneault est pressenti par ces jeunes comme le porteur du flambeau. On se réunit chez lui, on chante, on scribouille, on admire. Rue Saint-Jean, à Québec, depuis le 1er juillet, il y a une boîte à chanson. Là, ça gratte la guitare, ça chantaille, ça dit sa souffrance et surtout la beauté. Les goélands volent bas. Ils vous frôlent de leurs longues ailes en hurlant leur plainte. Et puis, un événement capital: DUPLESSIS EST MORT!

En quelques mois, la province a basculé dans la politique. Au fond du cœur de chaque Québécois, quelque chose crie: «Ça nous regarde! C'est notre affaire!»

C'est comme une espèce de grosse poule couveuse qui somnole sur une montagne d'œufs. Les coquilles vont péter, c'est fatal!

Et dans le monde du spectacle, que se passe-t-il? À Montréal, le père Gédéon et Marc Gélinas sont en pleine gloire. Jacques Normand revient de Paris et redevient vedette avec *Les Couche-Tard*. Jean-Pierre Ferland a écrit une petite chanson merveilleuse qui sert de thème à une émission de télévision, *Du côté de chez Lise*. Lise Roi chante:

«J'ai pris un côté de la lu-une,
Un champignon pour faire un toit...»

Les nôtres commencent à faire parler d'eux: Léveillée, Ferland, Lévesque. Ces gars-là font rire et sont capables de charmer. La boîte à chanson est en train de naître. Les grands spectacles du music-hall, au sens large du mot, appartiennent encore aux vedettes françaises, bien sûr. Bécaud, Trenet, Brel (qui commence), Sacha Distel, Les Compagnons de la chanson, artistes qui viennent ici régulièrement, remplissent *La Comédie-Canadienne* à souhait et tout le monde est content. Le monde du spectacle est florissant, mais nous sommes encore à la remorque de Paris.

C'est à ce moment de notre petite histoire que Jean Bissonnette entre un jour dans mon bureau:

– Va au *Chat Noir*. Va voir Vigneault qui donne une partie du spectacle.

– Vigneault chante? Voyons donc!

– Va voir ça.

Sous-entendu: «Il se passe quelque chose». Moi, j'ai envie de rire, tout simplement: Vigneault qui chante en public, c'est pas possible! Je ne l'ai pas vu depuis plusieurs mois et je ne sais plus très bien ce qui lui arrive. Pendant que je m'affaire à la télévision, ici à Montréal, lui, il est monté sur les planches, dans une petite boîte de la rue Saint-Jean, à Québec, et il a été applaudi. Ça, je ne le sais pas encore.

C'est donc sans trop y croire que je me rends au *Chat Noir*, devenu la petite salle de l'*Élysée*. Là, devant environ 200 personnes, je le vois chanter *Jos Montferrand*, *Jack Monoloy*, *La Danse à Saint-Dilon*... puis faire un long monologue. Il danse, crie, transpire, a des trous de mémoire, mais, à la fin, quand il est épuisé, il a encore la force de revenir sur scène pour un dernier refrain. La salle crie son enthousiasme.

Je me précipite dans les coulisses. Il est en nage, mais il a l'air de s'être amusé de façon magistrale. Il me regarde et rit comme s'il s'agissait d'une bonne blague. Il a l'air de me dire: «Tu vois, c'est pas croyable, avec la voix que j'ai, mais je l'ai fait, je chante. Je chante et on dirait que le public aime ça! Trouves-tu ça drôle autant que moi?» Moi, je suis bouleversé. D'abord par le Vigneault que je vois devant moi: malgré les airs qu'il se donne, l'air de ne pas y croire, il est transformé par son passage sur la scène. Il vient de vivre! Et on dirait que c'est la première fois! Ensuite, il y a le phénomène: quand il est là, sur la scène, il se passe quelque chose de neuf. Cette voix brisée qui vient de loin dit des choses que le public n'a jamais entendues et qu'il se meurt d'entendre. Les règles du spectacle sont passablement chambardées: belle voix, bel homme, musique facile, éclairages savants, rien de tout cela, mais le public sent quelque chose de neuf. Sur notre terre, une plante nouvelle est en train de germer.

Le lendemain, Jean Bissonnette me demande ce que j'en pense, et je ne sais trop quoi lui répondre.

– C'est spécial, au sens propre du mot.

Je n'arrive pas à me faire une idée précise. Tout le passé remonte: ce que nous avons vécu ensemble, tout cela qui m'a plus ou moins convaincu que Gilles passerait sa vie en poète, comme tous les poètes du monde, écrivant dans l'ombre ce que quelques centaines de personnes seulement voudraient lire. Rien chez lui, depuis que je le connais, ne le préparait sérieusement à monter sur une scène: rien. Ni la voix, ni le physique, ni la formation musicale et théâtrale. Rien, si ce n'est ce besoin viscéral qu'il avait de parler au monde, pour lui montrer le fond de son propre cœur.

– On devrait s'occuper de lui. Monter un *one man show* avec lui, dit Bissonnette, qui est réalisateur de télévision lui aussi et qui a le nez fin.

Il a senti le vent tourner. Ça bouge dans le monde du spectacle et Vigneault est un prototype d'une valeur incomparable. Cela, Jean Bissonnette est l'un des tout premiers à l'avoir compris.

– D'accord, on va monter un spectacle.

Je trouve l'idée amusante: retrouver Vigneault pour faire du spectacle! Ça aussi, ça ressemble à une blague, mais pourquoi pas ? Rien à perdre. Nous nous mettons donc d'accord avec Gilles pour la première aventure: une soirée au *Gesù*. À toutes fins utiles, Vigneault est encore inconnu à Montréal et nous n'avons pas d'argent. On va bricoler! Location de la salle, fabrication d'une affiche, vente des billets. Un ami a dessiné l'affiche gratuitement, un autre ami a permis qu'elle soit imprimée à peu de frais, et le dimanche après-midi nous allons la coller sur les murs de Montréal, Jean et moi. Répétitions, choix des chansons. Il faut créer une atmosphère! Il faut... Il faut mettre en scène le monde de Vigneault, qui est à l'échelle du monde! Un rien! Nous dessinons des éclairages pour chaque chanson. On rit, on discute, on travaille sans compter et on a peur. Est-ce que le public va marcher? Au programme, il y a des chansons qu'il chante encore. *Jean du Sud,* par exemple, et une autre qu'il ne chante plus mais que je n'ai jamais pu oublier:

J'ai connu un p'tit bonhomme
Tout nu-tête et tout nu-pieds
Qui chargeait des pépins d'pomme
Dans un p'tit bateau de papier...

Et cela se chantait avec mise en scène: un p'tit bateau de papier que Gilles sortait de sa poche et qu'il plaçait sur les planches, dans un éclairage spécial! C'était mignon!

Au programme, il y avait aussi un monologue intitulé *Le Mot*. Vingt minutes! Assis derrière une petite table, portant des lunettes dans le but de parodier l'idée reçue du professeur, Gilles lisait un texte, en vers bien sûr, dans lequel éclataient sa verve, son acrobatie verbale. Le mot, c'était le mot *cul*, mais jamais il ne le prononçait.

– Penses-tu que le public va marcher?

Celui qui peut répondre à cette question par l'affirmative avant un spectacle a bien de la chance. Fébrilité des dernières heures. Nervosité, courses à droite et à gauche. On oublie toujours quelque chose: éclairages, rideaux, spots, câbles, discussions, poussière des coulisses qui ont l'air de dormir. Le pari, c'est de réveiller ces vieilles planches! Une heure avant le spectacle, nous sommes encore grimpés dans des échelles, Jean et moi, pour essayer de faire prendre forme à ce rêve qui existe dans le cœur du poète. Puis, tout à coup, il y a ce magnifique et terrible bruit: les voix mélangées du public assis qui attend. Ils ont besoin de quelque chose qu'on appelle encore du divertissement, faute de mieux, et ils ont payé. Ils sont assis en face de la scène, qui devient une espèce de fosse aux lions quand on a peur! La salle n'est pas pleine, mais elle est assez bien garnie.

– Bon, c'est l'heure.

– J'ouvre le rideau?

– Attends... Vas-y!

On le pousse en scène en oubliant de lui dire: «Merde»!Nous nous partageons la régie, Jean et moi, de même que certains travaux de machiniste. Le bateau est à la mer, il faut naviguer.

– Baisse le son, allume le numéro deux, baisse, monte, lumières!

Une chanson, deux chansons. Applaudissements. On ne sait pas encore si ça colle. Puis, je m'en souviendrai toujours, il commence *Jean du Sud*. Je me tiens après un câble que je dois tirer, à la fin, et j'attends, j'attends... Cette chanson est

d'une longueur épouvantable! Ça ne finira jamais! Et à la
fin, quand le public applaudit avec chaleur pour la première fois, je me trouve tout étonné. Qu'est-ce qui se
passe? Ça marche? Eh oui! ça marche. La formule du
spectacle solo des chansonniers québécois vient de naître.

Épilogue
de la première édition

En 1972, Vigneault court le monde! Le Canada, puis l'Europe, puis le Japon, et plusieurs fois la France, la Belgique, la Suisse. De quoi perdre la tête! Eh bien! non, chaque matin, Vigneault se réveille et il est toujours le même.

Pendant des années, j'ai travaillé avec Jean Bissonnette à la préparation et à ce qu'on appelle un peu pompeusement la mise en scène de ses spectacles. Un soir au *Gesù*, trois soirs au *Plateau*, trois soirs à *La Comédie-Canadienne*, une semaine à *La Comédie-Canadienne*, un mois à *La Comédie-Canadienne*, etc. Une longue ascension que le poète a réussie en travaillant, bien sûr, mais surtout en restant exactement ce qu'il est depuis le début.

Ce travail fut amusant, ahurissant, fatigant, écrasant, tout ce que vous voudrez, mais surtout enrichissant. Chaque année, Gilles s'est présenté devant le public avec des chansons, des poèmes et des monologues neufs, des mots qui disent de plus en plus profondément ce qu'est le mystère du cœur de l'homme. Et ça continue! Pourquoi le public l'a-t-il suivi avec cet enthousiasme, même si certains de ses textes ne sont pas tout à fait aussi faciles que ce qu'on entend ordinairement? Je n'en sais rien. En tout cas, je ne le sais pas de façon certaine. Dans ce monde-là, on ne sait rien de façon certaine. C'est un peu comme pour l'amitié. On ne sait pas trop pourquoi un tel est son ami. Bon. Mais je vais risquer une petite réponse un peu dans le genre parabole. Je m'en excuse, je ne trouve pas autre chose. (Je suis en train de chercher mon dernier mot! C'est pas facile!) Vigneault a du succès parce qu'il est comme une rivière.

Une rivière ne peut pas faire autrement que d'être vraie: elle coule forcément dans son lit, avec un débit qui ne peut pas mentir sur sa source.

Je prétends donc que le Vigneault que j'ai connu est toujours le même: si riche de personnalité qu'il en est mystérieux. Si bien qu'on ne saura jamais qui il est exactement. Vigneault rivière, Vigneault mystère. C'est ce qui peut lui arriver de plus grand, et ce que je lui souhaite de tout mon cœur, *amen*.

Le 21 septembre 1972.

Mon cher Roger,

T a lettre est bien tombée. Le lac baisse. Les roches y poussent comme si on les avait semées. Les pommes tombent. Le jardin déborde. Même l'air a mûri. Il est plus frais, plus sec, plus fait. Je te réponds. «*Salve!*» disait l'autre. «*I rus*», répondait, candide, le vieil Arouet. Ta lettre m'est, en même temps qu'un plaisir, un sujet de plausible inquiétude. À franc parler, je trouve pour ma part que tu accordes beaucoup d'importance à une période de nos vies à laquelle les soleils les plus indulgents de ma mémoire n'arrivent pas à redonner des couleurs. Mais je dois dire que le fait que tu veuilles mettre en livre, j'allais dire «en boîte», cette grisaille nous y fera peut-être redécouvrir l'arc-en-ciel effacé. Va pour nous. Mais le lecteur?

Évite, en tout cas, autant que je souhaite pouvoir le faire, la complaisance et l'amertume. Ces deux garces se nourrissent de leurs employeurs. Que toute occasion de rire de nous te soit bonne. C'est de santé. S'il se trouve quelqu'un pour rire une page avec nous, tu n'auras pas perdu ton encre. Je me demande ce que le Grand Mike en pensera. Et Tituber et Jacques et Gaby? En fait, j'ai une petite hâte, comme ils disent là-bas une petite faim, de voir ce qui a pu te rester, à toi, de toutes ces neiges. Je ne connais en tout cas personne qui les ait vues fondre de si près. Tu me comprends. Bon vent. Bon sens. Ne peut mentir tout à fait. Salut.

Le même,

Roger Fournier et Gilles Vigneault avec leur éditeur Alain Stanké lors du
lancement de la première édition de *Gilles Vigneault, mon ami* à la Délégation du
Québec à Paris, à l'été 1972.

Deuxième partie

Relecture

J e viens de relire cette petite lettre en guise de préface à *Gilles Vigneault mon ami*. Bout d'blasphème! Comme aurait dit mon père: «Quelle assurance!» Je ne renie rien de ce que j'ai dit là, mais je suis étonné de mon aplomb. Mettons ça sur le compte de la jeunesse. C'est une excuse facile, peut-être, mais qui n'en est pas moins vraie.

Au fait, si je me remets à ce travail, c'est-à-dire les fouilles au fond de ton âme de poète, c'est pour les mêmes raisons qu'il y a 22 ans: essayer de trouver la vraie couleur et la qualité du tissu dans lequel la main de Dieu t'a fabriqué. J'ai écrit quelque part que le temps est un puissant daïmon. Je me rends compte que c'est terriblement vrai. Au cours des 22 dernières années, la varlope du temps a certainement redessiné plusieurs poutres de ta charpente psychologique. Il me semble qu'il vaut la peine de retourner dans cet ancien boisé, histoire de nous amuser à faire des comparaisons. Par amitié? Sans doute. Car si nous nous voyons moins souvent depuis quelques années, je crois que la base de notre relation est toujours la même. À ce propos, je voudrais citer ici un passage de *La Belle Vie*, de John dos Passos, au sujet de ses relations avec Ernest Hemingway:

«Les heurts qui se produisent entre un homme et ses amis sont le plus souvent le résultat pur et simple de l'âge. Les gens qui restent heureux ensemble, disons un homme et une femme, parviennent à préserver un jardin secret d'enfance perpétuelle. Vieillir signifie nécessairement exclure.»

À l'échelle du vedettariat international, nous n'avons rien en commun avec ces deux grands écrivains, bien entendu. Mais entre nous deux, je suis heureux de constater que les «heurts du vieillissement» sont presque invisibles. À moins que nous soyons encore adolescents! Ce qui serait une catastrophe plus accablante que le non-vieillissement...

Re-salut! C'est le début de l'été, il pleut comme au temps de Noé, mais il fait chaud et ça pousse partout. Les forces de la nature sont encore en érection! C'est une jouissance rarissime de penser que la vraie débandade viendra

peut-être seulement avec la mort du Soleil... dans cinq milliards d'années. Nous avons donc encore quelques minutes de plaisir à vivre... Quand on parle souvent du plaisir, est-ce à cause du fait que l'on commence à vieillir? Non, car le plaisir est immensément naturel, à tout âge, et je dirais même dans n'importe quelles circonstances. Pense à Épicure, qui était maladif et maigrichon...

À propos de la guerre, dont j'ai parlé dans le premier chapitre, il se trouve qu'au moment où j'écris ces lignes tout le monde occidental, ou à peu près, est en train de célébrer le cinquantième anniversaire du débarquement en Normandie. Or, il se trouve que je n'ai aucun souvenir du 6 juin 1944! Toi non plus, j'en suis sûr. Bien enfermés dans notre cloître, nous n'avons rien su de ce qui se passait là-bas, où des milliers de personnes se faisaient tuer pour libérer l'Europe du nazisme pendant que nous apprenions de belles citations latines, comme par exemple: *Si vis pacem para bellum...* (*Si tu veux la paix, prépare la guerre.*) Notre guerre à nous, elle se trouvait dans les livres. C'était l'*Anabase* de Xénophon, retour de l'armée grecque au pays natal au cours duquel on a inventé les skis (oui! oui!); c'étaient les exploits d'Alexandre, de César et de Scipion... À cette distance, les détonations sont d'une douceur exquise! Surtout que la poudre à canon n'avait pas encore été inventée...

Devons-nous en pleurer? Je ne crois pas. Tu me diras ce que tu en penses un jour. Il est évident que je trouverais agaçant de me faire tuer par une bombe qui tomberait au coin de ma rue, mais nous ne sommes pas les seuls à avoir été épargnés. Dans le Bas-du-Fleuve, des hommes ont refusé de partir pour l'autre bord. Et il y a eu certaines belles protections. À Saint-Anaclet, un fils de cultivateur a reçu sa carte. L'appel... Vivant au septième rang, il a marché plus de 20 kilomètres pour aller passer ses examens à Rimouski. Or, il a été collé! Le rapport du médecin disait: «Pieds plats, inapte à la marche»! Donc, chacun son lot!

En mai 1945, cependant, la nouvelle de la fin de la guerre nous est parvenue et nous sommes tous sortis, par un jour de brouillard, pour nous réunir devant le Séminaire et chanter le *Salve Regina*. On célèbre une victoire comme on peut... Étant encore dans la petite salle à ce moment-là, je te voyais seulement de loin. Mais j'espère que tu te souviens de ce *Salve Regina,* ce «Salut, Reine», lancé à la Vierge Marie, symbole de pureté par excellence, pour la remercier d'avoir aidé Dieu le Père à faire cesser l'orgie guerrière...

Ayant un peu étudié, je sais maintenant que la guerre a toujours existé et que cette civilisation grecque, par exemple, dont on nous a rempli la caboche, s'est forgée au cours d'une série de guerres aussi sanglantes les unes que les autres. Depuis quelques années, je m'amuse beaucoup à citer une petite phrase de notre arrière-grand-père Héraclite:

«Ce qui est contraire est utile, et c'est de la lutte que vient la plus belle harmonie. Tout se fait par discorde.»

J'ai trouvé cette pensée dans un livre intitulé *Penseurs grecs avant Socrate*. Je te le recommande.

Faut-il aller jusqu'à souhaiter une guerre au Canada, «sa» guerre, pour que ce pays adolescent et boiteux devienne adulte? Ce serait dépasser les bornes, bien sûr. Ce que je voudrais dire, cependant, c'est qu'il y a deux sortes d'orgie: l'orgie festive et l'orgie mortifère, pour employer des qualificatifs chers à Michel Maffesoli. Or, la guerre est un genre d'orgie... mortifère. L'orgie est naturelle à l'homme. On la retrouve partout dans le monde, et à toutes les époques, emportée, folle, parfois sanglante, sexuelle, reliée à la culture des champs ou aux cultes que l'on rend à certaines divinités, etc. Elle est là comme un profond besoin de se dépasser au moyen de ses propres forces. Pourquoi? Je te suggère une réponse. Tout a commencé par le Big Bang, à la suite duquel il y a eu une orgie monstre de gaz qui ont explosé et qui se sont mélangés, dans une confusion indescriptible. Ensuite, il y a eu la vie, que j'appellerais l'étape de la fusion. Donc, trois étapes: explosion, confusion, fusion. Or, nous sommes reliés à ce phénomène, à l'orgie du Big Bang, et je crois que c'est pour cette raison que nous faisons des orgies, heureuses ou malheureuses. Pour retourner à ce moment unique... comme on retourne toujours à son enfance... Dis-moi si je délire... En attendant, retournons en arrière, regardons Neil Armstrong marcher sur la Lune et écoutons-le. Il dit: «Un petit pas pour un homme, un grand pas pour l'humanité.»

ET LE MONDE ENTIER TROUVE ÇA MERVEIL-LEUX!

Or, il faudrait peut-être réfléchir au fait que s'il est sur la Lune, le brave astronaute américain, c'est grâce aux connaissances d'une équipe de nazis qui ont travaillé à construire les V1 et les V2 qu'ils ont lancées sur l'Angleterre. Car les Américains ont récupéré une grande partie de l'équipe de Peenemünde, avec à sa tête le grand ingénieur Von Braun, le père de la fusée, et c'est grâce à lui qu'ils ont réussi leur exploit.

Mais ce n'était pas pour le bien de l'humanité... C'était pour faire la nique aux Soviétiques. Mon Dieu que c'est compliqué. À moins que ce soit tout simplement drôle. Oui, je sais, tu vas me dire que, quand on a les moyens de boire du café tous les matins, on peut le sucrer avec un peu de cynisme. Mais pour moi, le problème reste entier: la marche du monde est un jeu fascinant mais mystérieux. Après la dernière guerre mondiale, on a dit: «Plus jamais!» Or, il y a la guerre dans une trentaine de pays. Il doit y avoir quelqu'un qui aime ça...

Dans ce premier chapitre, j'ai aussi parlé des autobus scolaires. Aujourd'hui, je pense que les jeunes qui se font transporter en autobus pour aller apprendre à lire acquièrent sans le savoir une attitude d'enfants-rois. Ils ont droit à tout! Que le peuple donne! Je ne dis pas que l'on devrait enlever les autobus scolaires et retourner à la petite école du rang, mais nous savons tous que le progrès, bien souvent, sent très mauvais...

Pour ce qui est de la famille, qu'en reste-t-il? Ce sont le manchot et le cul-de-jatte qui peuvent la symboliser...

J'ai parlé de nos maîtres-prêtres avec un certain respect, je crois. J'ai envie de dire qu'ils étaient prisonniers de leur foi, de l'Église, cette même Église à laquelle on doit l'Inquisition, le concile de Trente, l'*Index*, etc. Cela ne les empêchait pas, individuellement, d'être merveilleux. Mais pour remettre les pendules à l'heure, je te transcris un passage du livre épuisant et passionnant de Jacques Blamont intitulé *Le Chiffre et le Songe*:

«Sous son pontificat (Paul III), en 1543, parut le premier *Index général des livres interdits*. Rome s'arrogeait une prérogative que le pouvoir civil, en particulier celui de Charles Quint, avait tenté d'exercer depuis le début de l'imprimerie, mais il fallut attendre le pontificat de Paul IV pour que cette arme fût employée avec vigueur. En septembre 1557, la congrégation de l'*Index* établit une très longue liste de livres à brûler où figuraient ceux d'Érasme et même certaines productions légères de Machiavel. Le nouvel *Index* comprenait trois classes: les œuvres d'écrivains qui ont erré *ex-professo*, en suite de quoi tous leurs écrits sont interdits y compris ceux qui ne traitent pas de religion; les œuvres d'écrivains dont seuls quelques livres sont incriminés parce qu'ils amènent à l'hérésie ou parce qu'ils contiennent une erreur séduisante; les œuvres composées par des hérétiques et qui contiennent des erreurs pernicieuses.

Au début de 1558, une meilleure édition de la liste affola les libraires. En dépit d'adoucissements obtenus par le jésuite Nadal, les censures qui entrèrent en vigueur à partir de 1558 ont été appelées par saint Pierre Canisius ‹une pierre de scandale›. En conformité avec le décret du concile du 8 avril 1546 étaient interdits tous les écrits parus depuis 40 ans sans désignation d'auteur, d'imprimeur, de date et de lieu, même s'ils ne traitaient pas de religion, ainsi que ceux qui, à l'avenir, seraient imprimés sans autorisation ecclésiastique. Soixante et un imprimeurs voyaient toutes leurs publications prohibées. Ces ordonnances furent immédiatement exécutées partout en Italie. Rien qu'à Venise, le dimanche des Rameaux, on brûla 10 000 livres.»

Cette citation est longuette, mais j'espère que tu apprécies. Elle nous dit un peu ce que cachait le métier qui a tissé les soutanes de nos maîtres...

Nos professeurs étaient prisonniers de leur foi religieuse, nous étions prisonniers, physiquement, des grands murs de brique à l'intérieur desquels il fallait se résigner à vivre. Pour toi, c'était encore plus dur que pour les autres, puisque tu ne pouvais pas aller chez toi aux vacances de Noël. À l'époque, quand tu m'as raconté cela, je ne crois pas t'avoir pris en pitié. À cet âge-là, la pitié... Mais, en relisant ce passage, je trouve cette situation intolérable. Évidemment, ce n'est pas le goulag, mais quand même! Pour un adolescent, c'était une très grande épreuve. Tout cela à cause de nos grands espaces qui font l'envie des Européens...

À cause de cela, tu as souffert d'un ennui mortel. Mais je crois qu'il n'y avait pas seulement les murs qui t'empêchaient de voler. Il y avait certainement la lumière, vers laquelle tu voulais monter, mais tu en étais alors incapable... C'est du moins ce que j'imagine aujourd'hui.

Quelque part dans ce chapitre, j'ai employé l'expression *pourriture de la civilisation*. Est-ce que tu as ri en relisant ça? Moi, oui. Ça fait bien, ça fait jeune penseur qui ose ramer à contre-courant, mais je ne prendrais même plus la peine d'employer des gros mots à l'égard de la civilisation. La civilisation se fout des penseurs. Elle fabrique du champagne et le mélange au fumier, elle taille des diamants et les roule dans la boue. Grâce à l'aspiration de l'homme à la divinité, elle invente des religions qui enrichissent l'inconscient universel de l'humanité, mais elle peut transformer une religion en idéologie et, au nom de cette dernière, on tuera avec ferveur au nom de Dieu, comme en Algérie. Débridée, inconsciente, sans maître, elle est comme un océan qui s'amuse à faire des vagues et à les défaire. Les penseurs la reluquent, tentent de la posséder, mais ils crèvent avant d'avoir réussi et elle poursuit son chemin en hennissant comme une jument en rut.

Est-ce que c'était barbare ou civilisé que de sacrifier un être humain pour obtenir la faveur des dieux? Je prendrai beaucoup de temps avant de répondre à cette question. J'ai envie de dire que la civilisation se promène autour de la Terre poussée par des vents qui changent de direction souvent, sous l'impulsion de plusieurs Satans qui s'amusent, quelque part, impunément... Il faut dire que nous existons tels que nous sommes par hasard, et le hasard pourrait bien nous faire disparaître d'ici deux ou trois milliers d'années, ce qui n'est pas très long à l'échelle de l'histoire du monde...

J'ai parlé aussi du chant grégorien. Avec enthousiasme! Depuis quelques années, l'Église catholique a eu son Mai 68 et elle a chassé le latin de l'église, avec le grégorien. Ainsi, les offices religieux sont devenus d'une platitude inouïe. Pas étonnant que les églises se soient vidées! On a voulu que les chants soient en français pour que le bon peuple comprenne ce qu'il disait à Dieu, je crois. Erreur grossière. Le bon peuple allait à l'église pour qu'on apaise sa souffrance. Quand il entendait du chant grégorien, il trouvait ça beau, le charme opérait et il se sentait soulagé.

À propos de chant grégorien, te souviens-tu de l'*Alléluia* du vingt-quatrième dimanche après la Pentecôte? Quelle merveille! Nous l'avons chanté ensemble plusieurs fois, dirigés par le grand Raoul, qui m'endurait dans la chorale même si je faussais... Un jour, j'aimerais bien que nous l'écoutions ensemble...

P uis, il y a eu ces premières vacances de Pâques décrétées par les directeurs de notre prison et je t'ai invité à la maison, puisque tu ne pouvais pas aller à Natashquan, à l'autre bout du monde... Je crois que tu as beaucoup aimé ce court séjour dans ma famille. Je te revois monter la côte, derrière la maison, te retourner et regarder le fleuve avec une pointe de tristesse dans l'œil. Car au nord, et à l'est, il y avait ton village natal, inatteignable. Bien sûr, il y avait ma famille, du monde ordinaire tout prêt à t'aimer, ce qui était merveilleux, mais pour toi ce paysage était probablement aussi important que la mer de bons sentiments que l'on peut éprouver en voyant les membres d'une grosse famille vivre une vie ordinaire et chaleureuse. Une vie basée sur les besoins primitifs des humains: manger, dormir, travailler pour manger, s'aimer sans le dire... Ce cercle non pas vicieux mais symbole d'une certaine perfection, c'était le même que tu avais connu chez toi dans ton enfance. J'ai envie de simplifier un peu et de dire que chez toi les vaches étaient remplacées par les poissons du fleuve...

Et puisqu'il est question de vaches, je crois me souvenir maintenant d'une chose qui m'étonne: pendant toute la semaine que tu as a passée à la maison, tu n'as pas mis les pieds à l'étable, qui était un peu le cœur et le poumon de notre activité à la ferme. Si tu n'en as pas senti la nécessité, c'est peut-être parce que tu éprouvais un besoin fondamental de célébrer l'absence des murs... La fête, c'était surtout cela. Quand je pense qu'aujourd'hui, si je me retrouvais dans la même situation, la première chose que je ferais, après t'avoir présenté à mes parents, ce serait de t'amener à l'étable pour te montrer le taureau, ce symbole d'une richesse incroyable! Mais à l'époque, pour toi comme pour moi, les symboles n'avaient pas l'importance qu'ils ont aujourd'hui. Nous n'avions pas encore appris à décoder les mythes. Chez nous, le taureau, c'était le «gros beu» dans la stalle du fond, une bête dangereuse. On lui mettait un anneau dans le nez pour mieux le maîtriser et, au bout d'un bâton, on l'amenait derrière la vache en chaleur qu'il reniflait. En 30 secondes son membre sortait, tige de feu, l'animal énorme se dressait sur ses pattes de derrière en soufflant à pleins naseaux et il l'enfonçait d'une seule poussée dans l'ouverture gluante de la femelle qui courbait l'échine. C'était la vie, toute simple. On ne voyait pas plus loin. Cette scène était troublante, mais naturelle. Il me faudra 25 ans pour partir en voyage avec un taurillon pour l'île de Crète et marcher dans les symboles jusqu'au cou. (Mon roman intitulé *Les Cornes sacrées*.) Au fait, Gilles, as-tu déjà vu un taureau saillir une vache? Je ne voudrais pas te faire de la peine, mais c'est plus impressionnant qu'un accouplement de poissons...

Petit détail: On ne voit plus les taureaux s'élancer. C'est le règne de l'insémination artificielle. La fornication virtuelle est à nos portes! Tu vois, tout est déshumanisé, même chez les vaches et les taureaux! Demain, ce sera le pis électronique, le veau robotisé, etc.

À propos de ton séjour à la maison, il me revient une petite scène à la mémoire, dont je ne t'ai jamais parlé. Un jour, mon frère Raymond t'a vu faire une pirouette et rouler par terre dans la côte sans te soucier de salir tes vêtements – de ta part, un beau geste d'exultation qu'il n'a pas compris – et il m'a jeté un regard agacé, le pauvre...

L'une des raisons pour lesquelles ta visite à la maison fut une fête, c'est parce que tu parlais... Tu t'exprimais! Poète, tu nommais les choses et les qualifiais, avec verve et humour, alors que dans ma famille, comme dans toutes les familles de la région, on se contentait de regarder la pluie et la neige tomber, le foin mûrir, etc. Silencieux, nous étions accrochés aux choses essentielles comme des voyageurs qui s'agrippent au mât d'un petit navire sur une mer ordinairement calme. Toi, avec ton grand nez, tu respirais les vents et nous les décrivais.

Mon père est mort il y a un certain temps, après plusieurs années de veuvage. Chaque fois que je le voyais, il me demandait:

– Coudonc! as-tu encore des nouvelles de Vigneault?

Il ne t'a jamais oublié!

Tu parlais, disais les choses. C'était une nouveauté pour mes parents. Nous, nous ne parlions pas. Nous pratiquions peut-être une certaine forme de nirvana, car nous n'avions pas l'impression d'être malheureux malgré notre vie de primitifs... Ne sachant pas ce qu'était la richesse, nous n'avons jamais souffert d'être pauvres! J'ai eu une bien bonne idée en t'invitant chez moi: tu as fait du bien à toute ma famille...

Au début du quatrième chapitre, j'ai écrit: «Je ne dirai jamais assez la noblesse de ce genre de préoccupation», à propos du fait que tu cherchais «l'âme de l'homme». Diantre! je ne sais pas ce que ça t'a fait, mais moi j'ai sursauté en me relisant. Non, je ne dirais pas le contraire aujourd'hui, mais je n'irais pas faire un tel énoncé comme s'il s'agissait d'une chose rarissime. Sans vouloir te blesser. Il s'agit là, me semble-t-il, d'une démarche normale pour n'importe quel intellectuel. L'âme de l'homme est peut-être partout, comme Dieu, c'est-à dire dans une belle jambe, une belle fesse, etc. Partout, ça peut nous mener loin! Pardonne-moi si je deviens immoral! Je suis encore naïf mais, en 1972, je l'étais davantage...

Un peu plus loin, j'ai parlé de notre monde «en marche vers la catastrophe». Depuis que j'ai écrit ça, j'ai appris que le Soleil va s'éteindre dans cinq milliards d'années. Je ne vois pas ce que les humains, dans leur démence, pourraient inventer de plus catastrophique qu'un tel événement; un événement, tu le sais aussi bien que moi, hautement naturel. J'ai aussi appris que les hommes n'ont pas vraiment envie de se gouverner avec intelligence. Ils veulent des problèmes, des drames, du sang, pour pleurer... Afin de mieux rire ensuite. J'ai dit ça devant toi et quelques amis, il y a une quinzaine d'années déjà, et tu étais d'accord avec moi. Ce qui a scandalisé les autres, que je ne peux pas nommer. J'ai commencé à le dire en entrevue à la télévision en 1971. Je suis plus convaincu que jamais d'avoir raison. Plus on progresse, plus on invente des problèmes aigus. C'est dans cette spirale que nous sommes embarqués, et tout ce que j'ai envie de dire, c'est: «Bon voyage...» avec un petit sourire. À la limite, je me demande si on ne pourrait pas affirmer que la catastrophe, c'est le mouvement, tout simplement. Et le mouvement est inhérent à la nature. J'ai déjà dit, aussi, à un ami français: «Toutes les catastrophes sont des fêtes...» J'ajouterais simplement: à rattacher à l'orgie, qui est anarchique. Et si la démocratie était impossible à cause de notre besoin fondamental d'orgie?

Au chapitre cinq, j'ai parlé de l'abbé Beaulieu, notre Ti-Georges, qui faisait venir des troupes de théâtre et d'opéra au Petit Séminaire de Rimouski. Nous avons toujours été d'accord pour dire que cet homme avait été très important pour notre culture. Avec le recul, j'ai envie de dire qu'il a été merveilleux et que, grâce à lui, nous avons vécu une expérience rarissime. C'était au cours des années quarante, alors que tout était figé. Venus des campagnes les plus profondes, nous sentions encore l'étable et sa vie primitive, mais, deux ou trois fois par année, nous avions le privilège de voir des artistes sur scène! La performance nous était donnée! Non, la Révolution tranquille n'a pas commencé en 1960!

À propos de ton attitude qui disait: «Regardez-moi», il y a un mot que j'ai oublié d'employer: *impudeur*. Comme tu le sais certainement, le meilleur comédien est le plus impudique, celui qui peut se mettre à nu sur scène... psychologiquement, bien sûr! (Je suis à peu près certain que tu n'as jamais eu envie d'être *gogo boy*...) Ce sont les femmes qui atteignent cette qualité avec le plus de naturel, peut-être parce qu'elles sont plus proches de la Terre que les hommes... (Terre-mère, Terre-femme...) Toujours est-il que, d'une certaine manière, tu étais très impudique, au sens le plus pur du terme, ce qui provoquait des sourires agacés chez nos maîtres. On ne peut pas devenir un artiste sans ce défaut-qualité. Je vais te faire un aveu: je suis un peu jaloux de toi. Au lieu de devenir un écrivain marginal, j'aurais pu être un comédien et jouer Shakespeare!

Je voudrais ajouter un mot à propos des applaudissements. J'ai vu des centaines de spectacles dans la plupart des grandes villes du monde, avec les plus grands artistes. Et j'ai été ému de les voir saluer, à la fin, au moment où ce fracas n'a rien de désagréable puisqu'il leur rend un hommage bien mérité. Mais je crois que je n'ai jamais envié les artistes qui se faisaient applaudir. Car je vois les applaudissements un peu comme une loterie. Celui ou celle qui veut monter sur scène pour faire carrière se dit sans doute: «J'ai besoin d'applaudissements pour vivre. Si je les entends, il est possible que je sois heureux.» Or, souvent, un grand artiste les entend gronder comme un énorme tonnerre, .et pourtant il est malheureux. Pense à Valentino... Toi qu'on a tellement applaudi, j'aimerais bien que tu me dises ton idée là-dessus... Tu me répondras peut-être par ta chanson: «Tout l'monde est malheureux tam-ti-di-di-lam», ce qui serait bien suffisant...

J'ai parlé de Rimbaud, au début du chapitre 6. Tu m'en aurais certainement voulu si je n'avais pas parlé de ce poète qui nous enchantait, comme Verlaine, Baudelaire et quelques autres. Avons-nous passé une journée sans crier un vers de Rimbaud dans la cour de récréation? Je ne crois pas. À la vérité, aujourd'hui, je me demande si nous n'étions pas les victimes faciles d'une certaine fascination ou, plus exactement, d'un enchantement plus ou moins inventé. Je ne sais si tu te poses les mêmes questions que moi à ce sujet... Toujours est-il que la vie de Rimbaud, imbriquée dans celle de Verlaine, nous est restée inconnue à cette époque, tu le sais maintenant. Je me demande même si, à l'université, on nous a appris qu'ils avaient couché ensemble... Une telle «horreur» n'avait rien à voir avec l'analyse littéraire! Comme ce sera drôle, plus tard, quand nous lirons les deux petites phrases suivantes, de la plume de Rimbaud: «Verlaine m'est arrivé hier, un chapelet aux pinces. Une demi-heure plus tard, nous faisions saigner les quatre-vingt-treize plaies de Notre Seigneur Jésus-Christ.» Je cite de mémoire. Entre nos murs, où il n'y avait pas de femmes, à part celles qui faisaient le ménage et qu'il était défendu de regarder, la tentation des amitiés particulières était grande, entre élèves et entre prêtres et élèves. Il était donc inconcevable pour nos maîtres de nous révéler que deux grands poètes français s'étaient adonnés à l'homosexualité. C'eût été jeter de l'huile sur le feu! Ma foi, un peu plus et je les excuserais! D'ailleurs, je me demande si le mot *sodomie* faisait partie de leur vocabulaire. Essaie d'imaginer la tête du curé assis au confessionnal de la chapelle et qui aurait entendu un élève avouer:

– Mon père, je m'accuse d'avoir enculé mon ami hier soir...

Un cas d'apoplexie, au moins!

Il y a un vers du poète à la belle chevelure que nous lancions souvent aux quatre points cardinaux:

«On n'est pas sérieux quand on a dix-sept ans!»

Pourquoi ce vers-là surtout, selon toi? J'ai la certitude que nous nous servions de cette phrase comme d'une espèce d'alibi, pour excuser notre style négligé, notre besoin de ne pas faire comme les autres. Car c'était là, tu t'en souviens, notre principale caractéristique: être différents.

À propos de Verlaine, j'ai un petit souvenir de vie en chambre à Québec. Un soir, tu es assis sur ton lit, en train de lire un livre dont j'ignore le titre. Soudain, tu éclates d'un rire terrible.

– Qu'est-ce qui te prend?

– Écoute ça: «Quand Verlaine est mort, il souffrait de 17 maladies dont 12 étaient mortelles...»

Il est vrai que certains records peuvent être drôles... Je n'ai jamais eu l'occasion de vérifier le bien-fondé de cette blague à propos de Verlaine, mais si elle est vraie, elle ne fait que témoigner de notre misère sexuelle. Au tournant du siècle, la syphilis faisait rage et dénudait des milliers de crânes masculins. Aujourd'hui, la menace du sida vide les lits sur lesquels la moitié des humains auraient envie de faire l'amour. Peut-être sommes-nous appelés à devenir des oiseaux... Ce qui serait une autre couillonnerie de la part du progrès! Même si nous aspirons à voler.

J'ai fait grand cas de ta sensiblité. J'ai même l'impression d'avoir déliré un peu à ce propos. Je te prie de m'en excuser, au cas où cela t'aurait agacé. Oui, tu étais sensible, mais, foncièrement, peut-être pas plus que les autres. Toi, avec ta franchise impudique, tu le laissais voir. Inconsciemment, peut-être même que tu la cultivais, cette sensibilité, parce que tu en avais besoin. L'inconscient est capable d'être aussi retors qu'un Grec... Plus tard, à l'université, nous en rirons tous les deux, dans plusieurs beaux moments de lucidité.

P uis, ce fut ce que j'ai appelé «Le Grand Poème du feu», à cause de toi, bien sûr... Je suis certain tu n'as rien oublié de cette catastrophe. Or, c'est sans trop y penser que j'ai fait le rapprochement entre le feu de Rimouski et la jeune fille de Rhodes qui perd son amoureux. Instinctivement. En ayant en tête seulement l'intensité des émotions. Aujourd'hui, je trouve ce rapprochement extrêmement efficace, lourd de sens, naturel à 200 %. Dans les deux cas il s'agit d'une cassure, d'une brisure, d'une rupture. Dorénavant, rien ne sera plus pareil. Cassure non pas entre toi et moi, mais dans notre vie. Dans une vie, les moments comme ceux-là sont assez rares. Ils sont un peu comme une mort qu'il faut vivre, après quoi on renaît, grandi. Sais-tu ce que je regrette, à propos de la jeune fille abandonnée? C'est de ne pas avoir débarqué pour aller lui serrer la main. En sa compagnie, j'aurais peut-être pu apprendre à pleurer moi aussi... Car je vais te faire un aveu: l'un de mes grands défauts, c'est de ne pas avoir la décence de pleurer dans certaines circonstances.

À propos de ce sinistre, te souviens-tu que nous sommes allés ensemble à la chapelle, quand je t'ai retrouvé dans les rues de la ville et que nous sommes allés faire nos malles? Là, au jubé, nous avons retrouvé nos missels de grégorien. Le mien était ouvert et la page était brunie par la fumée. Elle sent encore. As-tu conservé le tien? Pour moi, c'est un très beau souvenir. La cassure, elle est là, mais avec un tout petit lien qui nous rattache au passé.

Le temps. Dans ce chapitre, j'ai parlé du temps et j'en parlerai encore plus loin, si ma mémoire est bonne. Mais je voudrais tout de suite apporter ma petite touche 1995 sur le sujet. Au cours des dernières années, je me suis permis de lire des livres qui auraient dû me faire mûrir, me mettre du plomb dans la tête, comme on dit vulgairement. Apparemment, il n'en fut rien. Je me sens toujours aussi léger, comme ta chevelure, à l'époque... Mais à propos du temps, j'ai lu quelque chose qui m'a secoué de fond en comble, et je voudrais te faire partager les effets de ce choc intellectuel. Il s'agit d'un passage tiré de *La Révolution du silence*, de Krishnamurti. Je ne te fais pas de faveur, puisque je transcris ce passage toutes les fois que j'en ai l'occasion. Une vraie marotte...

«Méditer, c'est transcender le temps. Le temps est la distance que parcourt la pensée dans ses élaborations. Ce parcours s'effectue toujours le long d'un chemin ancien muni de nouveaux revêtements, de nouveaux sites, mais c'est toujours le même, qui ne mène nulle part, si ce n'est à la douleur et à l'adversité. Ce n'est que lorsque l'esprit transcende le temps que la vérité cesse d'être une abstraction.»

Voilà. Rien que ça. Il faudrait que tu relises ce passage à plusieurs reprises, pendant des mois. Un jour viendra où tu auras envie d'asseoir la pensée sur un piquet de clôture, comme pour l'empaler et la gifler. Alors, tu pourras peut-être avaler plus facilement le jus sécrété par la quintessence de la vie et, par la même occasion, perdre la hantise du temps. Un vrai bonheur... Le danger, c'est que tu tombes dans le nirvana! Alors, tu ne pourrais plus écrire... Rions quand même!

En relisant le chapitre huit, dans lequel je me substitue à toi pour dire ce que tu crois, j'ai été gêné. En me livrant à ce petit exercice, non seulement j'étais audacieux mais j'étais téméraire. J'ai la conviction que n'importe quel être humain, même s'il est franc et transparent, cache toujours quelque chose au fond de sa conscience, malgré lui. Je crois même que, plus on est poète, plus les zones d'ombre sont nombreuses et noires au fond de l'âme. La création est une immense chute d'eau sombre. Dix fois le Niagara! Moi-même, sais-je qui je suis, au juste? Je ne crois pas. Je ne cherche même pas à le savoir, d'ailleurs, car si je me cherchais, je me fuirais.

À l'époque, tu n'as pas renié ce que j'ai écrit. J'ai donc dit quelque chose de vrai à ton sujet, mais certainement pas toute la vérité. Au moins, cet exercice a eu le mérite de me faire jeter un long regard sur moi-même...

Pour ce qui est de Dieu, si tu le permets, nous y reviendrons un peu plus loin. J'ai appris des tas de choses sur son compte depuis une vingtaine d'années. Il ne s'en sortira pas comme ça!

Au fait, as-tu revu Mgr Parent après avoir quitté l'université? Je me demande s'il a inventé les cégeps parce qu'il était fatigué de diriger un programme de bourses pour des pauvres comme nous, choisis par la main de Dieu pour recevoir l'instruction grâce à laquelle on pouvait devenir prêtre ou médecin? Que dirait-il, aujourd'hui, si un cégépien décrocheur lui demandait:

– Qu'est-ce tu veux que j'fasse de pluss, *man*?

Au neuvième chapitre, tu es rendu à Québec, à la faculté des lettres, et je décris ta vie, l'imaginant d'après ce que tu m'as raconté. M'as-tu toujours dit la vérité? Question oiseuse, oublie-la. Toujours est-il qu'au début de ce chapitre j'ai écrit: «C'est dans la fantaisie que se trouve l'essentiel du cœur de l'homme.» Cela en parlant de toi, bien entendu. J'ai sursauté en me relisant. M'étais-je permis une autre de ces petites phrases qui sonnent bien, surprennent mais ne contiennent qu'un semblant de vérité? Réflexion faite, non. Pas vraiment. Car il me semble qu'il faut mettre la fantaisie à sa place, c'est-à-dire à la source de la création, littéraire ou autre. N'est-ce pas ce que je me tue à répéter depuis des années quand j'affirme que la vérité n'a rien à voir avec la vraisemblance? Qu'il y a plus de vérité dans les aventures mythiques, qui sont invraisemblables, que dans le plus populaire de nos téléromans? Depuis une quinzaine d'années, la vie quotidienne est reine dans nos œuvres de fiction. À quand l'indigestion générale, qui fera vomir toutes ces histoires de femmes d'affaires avec amants-amants-maris-divorces-remariages-sida? Si le troisième millénaire pouvait nous arriver avec ce beau cadeau, ce serait «autant d'acquêt», comme disait mon grand-père. (Excuse-moi. Je me suis emporté.)

Il est certain qu'à l'époque ta fantaisie était jeune. Mais elle provenait de la même source que la vieille, celle qui, plusieurs années plus tard, donnera naissance à tes plus beaux textes. Mais je n'oublie pas, non plus, qu'elle nous aura fait rire à des moments où nous en avions un besoin essentiel. Merci.

Vers la fin de ce chapitre, je parle un peu de la désillusion à propos de l'université. J'y reviendrai plus loin, quand je raconterai ce que nous y avons vécu ensemble. Mais ici, j'ai ouvert une parenthèse pour dire que même à la

Sorbonne, c'est pas ça. Je faisais référence à ma petite expérience personnelle dont je ne t'ai jamais parlé. Je suis arrivé à la Sorbonne en 1957, pour y suivre des cours et préparer mon doctorat en lettres. Or, à ce moment-là, j'étais déjà réalisateur depuis plus de quatre ans! Et le réalisateur, à l'époque, était un vrai patron! Évidemment, j'ai trouvé pour le moins incongru de me retrouver assis dans un amphithéâtre, en face d'un bonhomme qui parlait *ex cathedra*, comme au XVIe siècle, quand l'université marchait dans les pas de l'Église. Je me suis amusé à voir un professeur qui avait l'air de souffrir parce qu'il devait citer un auteur américain qui parlait de Baudelaire d'une façon merveilleuse... Et je me suis endormi en faisant mes recherches sur l'absurde dans le théâtre français depuis Jarry, sujet de ma thèse, que j'ai lâchement abandonnée pour aller m'amuser au cinéma. Non, mon court passage à la Sorbonne ne m'a pas mis grand-chose dans la caboche. Désolé. Ce que je voulais te dire, c'est ceci: la personne qui m'a donné le plus grand élan pour avancer dans le monde de la culture, c'est René Simon, professeur d'art dramatique célèbre à l'époque. À cause de lui, imagine-toi que j'ai passé des heures et des heures à la Bibliothèque nationale de Paris pour transcrire la pièce de théâtre que le cardinal de Richelieu a écrite et qui s'intitule *Europa*! Pièce sans intérêt du point de vue dramatique, mais tu vois la belle folie du geste! On m'avait allumé, comme une fusée... Avec René Simon, j'ai fait un bond merveilleux. J'ai reçu quelque chose qu'aucune des institutions que j'avais fréquentées ne m'avait donné. Pourquoi? Mystère. J'avais peut-être besoin d'être plus vieux que les autres pour m'élancer... Toujours est-il que ce genre d'expérience me fait regarder le monde de l'éducation d'un œil pour le moins dubitatif... Cela dit, je ne prônerai tout de même pas la fermeture des maisons d'enseignement!

Puis, je suis allé te rejoindre à Québec. J'ai raconté notre vie de bohème dans un long chapitre au début duquel j'ai laissé échapper mon petit couplet sur le temps. Alors, tu vas peut-être me reprocher de ne pas citer Krishnamurti ici. Je maintiens mon choix, parce que je me trouverais prétentieux d'accoler mon baragouinage sur un sujet aussi difficile aux propos d'un grand penseur. Il m'arrive encore d'avoir une certaine humilité... Pour traiter ce sujet inépuisable, car le temps ne s'arrête pas, même quand on nous enferme dans un cercueil, je vais donner la parole à un poète. Tu te souviens que, dans notre chambre de la rue d'Artigny, le Grand Mike avait apporté un tourne-disque sur lequel nous écoutions Giuseppe di Stephano chanter quelques grands airs d'opéra. Toi, l'intellectuel, tu avais acheté un disque de 30 centimètres intitulé *Le Grand Bal du printemps*, sur lequel Pierre Brasseur disait des poèmes de Prévert, de Milosz, entre autres, et aussi un tout petit poème de Gérard de Nerval:

«Une allée du Luxembourg

Elle a passé la jeune fille
Vive et preste comme un oiseau,
À la main une fleur qui brille,
À la bouche un refrain nouveau.
C'est peut-être la seule au monde
Dont le cœur au mien répondrait,
Qui, venant dans ma nuit profonde,
D'un seul regard l'éclaircirait...
Mais non! Ma jeunesse est finie.
Adieu doux rayon qui m'a lui,
Parfum, jeune fille, harmonie.
Le bonheur passait, il a fui.»

Avoue que le poète met le doigt sur un point sensible... J'aurais même envie de dire qu'il s'agit là du point *G* en ce qui concerne le problème du temps. J'ai écouté ces vers magnifiquement dits par Brasseur tellement souvent que je les sais par cœur, de même que plusieurs autres de Prévert et de Milosz. Quand j'étais seul à la chambre, je me laissais bercer-endormir par cette poésie, si bien que Brasseur a été pour moi une espèce de mère. (J'exagère à peine...) Dans *Le*

Grand Bal du printemps, de Prévert, il avait des envolées sublimes qui me faisaient penser à son rôle dans *Les Enfants du paradis*. Dans le poème de Milosz intitulé *Tous les morts sont ivres*, sa voix devenait un instrument grave interprétant une musique dont la mélodie pluvieuse nous faisait descendre au plus profond de notre corps-cercueil. Je me demande si tu as encore ce disque. J'aimerais bien l'écouter une petite fois. Je vais te confier quelque chose de bizarre. À part les œuvres dont je viens de parler, Brasseur avait enregistré un poème intitulé *Les Quatre Sans Cou*, dont j'ai oublié l'auteur. Il disait les trois premiers vers dans une espèce d'éclatement viscéral:

«Ils étaient quatre qui n'avaient plus de tête
Quatre, à qui on avait coupé le cou.
On les appelait les quatre sans cou...»

Vers le milieu du poème, il y avait ces vers:

«Mais, jamais ils ne voulurent les reprendre,
ces têtes, où brillaient leurs yeux...»

C'est à cette petite phrase que je veux en venir. Je me la récite encore plusieurs fois par jour. Pour dire cela, Brasseur avait des accents de tendresse et de mélancolie extraordinaires. On avait l'impression que sa voix glissait sur les mots avec nostalgie. Or, ce ton est pour moi comme une petite musique grâce à laquelle je sais que je peux écrire. C'est Claude Lelouch, je crois, qui a parlé de la petite musique, cette chose intérieure qui nous alimente, qui vient de nulle part apparemment. Pour moi, la petite musique de ces vers, qui, en apparence, du moins, n'a rien à voir avec ce que j'écris, est une espèce de pont que je peux traverser pour atteindre mon état de créativité. J'entends Brasseur dire ces mots, puis je les associe à des rythmes plus ou moins marqués, à une espèce de scantion imaginaire, et cela me donne le signal: je peux travailler! Mystérieux, non? Tout cela à cause d'un poème entendu dans notre chambre d'étudiant, entre 1952 et 1954. Grâce à toi! Merci.

Quelques années plus tard, j'ai vu Brasseur sur un plateau de cinéma à Paris. Personne ne me l'a présenté et je n'ai pas osé l'aborder. Mais, au milieu des années soixante, il est venu à Montréal avec Catherine Sauvage et j'ai eu l'occasion de dîner avec lui en compagnie de quelques amis. Je lui ai raconté alors comment il avait été précieux pour moi. Il m'a regardé longuement, sans dire un mot, mais dans ses yeux il y avait une belle émotion. Je n'oublierai jamais ce regard, dans lequel il y avait la fierté de l'artiste, mais surtout la chaleur de l'être humain.

Aujourd'hui, notre petite révolte contre nos professeurs de la faculté des lettres m'amuse beaucoup. Il faut dire que je l'avais oubliée. Elle me surprend. Mais le plus étrange, c'est que je n'arrive pas à la qualifier. Ridicule? Oui, parce que vouée à l'échec. Nous étions totalement ignorants de la façon dont fonctionne une faculté. Raisonnable? Peut-être, dans la mesure où plusieurs de nos maîtres laissaient à désirer. Mais tout cela a-t-il vraiment de l'importance? J'ai presque envie d'être sacrilège et de dire que, quel que soit ton professeur, si tu n'as pas en toi le feu qui peut t'embraser le cœur et l'esprit, tout est vain... Cela sonne étrangement, même à mon oreille, alors que les problèmes soulevés par l'enseignement nous paraissent insurmontables.

Quelle sorte d'enseignement devrons-nous donner aux enfants dans 20 ans d'ici? Je suis sûr que tu as réfléchi à cette question et nous en parlerons un jour. Imagine un peu l'évolution que peut apporter l'image virtuelle. Est-ce que grand-papa Aristote sera toujours au pupitre?

Je repense au manteau que nous avons partagé pendant tout un hiver, et surtout à l'équipée avec notre malle pleine de guenilles pour essayer de les vendre, sans succès. Je me demande comment nous nous sommes sortis de cette impasse financière. Je n'en ai pas la moindre idée. Toi, est-ce que tu t'en souviens? Nous n'avions pas un rond. Et nous avons survécu! Ça doit être le bon Dieu, encore! Car, à l'époque, nous allions à la messe tous les dimanches. Alors, peut-être que le ministre de l'Éducation pourrait régler ses problèmes d'argent en rendant la messe obligatoire pour les élèves. Si par hasard on applique cette solution avec succès, je ne demanderai aucune compensation pour la suggestion que j'en fais. Promis juré...

Soyons sérieux et rêvons. Quand nous aurons atteint la vraie civilisation des loisirs, peut-être qu'on ne sera plus obligés de faire étudier tout le monde... Seulement quelques milliers de jeunes par pays, pour construire des ponts et des avions, pendant que les autres seront heureux en visionnant les vieilles cassettes des émissions de télévision du XXe siècle. Heureux à mourir de rire! Et peut-être qu'un jour on n'aura plus besoin de ponts ni d'avions, parce que chaque citoyen aura son petit appareil volant, l'*Icarette*... Et peut-être qu'un jour on n'aura plus besoin de construire ces édifices qui nous ruinent pour recevoir les étudiants, parce que les quelques milliers de personnes qui voudront étudier seront reliées à un professeur qui parlera à la télévision sans être ennuyeux... avec l'autoroute électronique! Et peut-être que dans ce temps-là les étudiants seront assez intelligents pour comprendre un prof qui parlera à la télévision... J'irais même plus loin. Peut-être qu'un jour on n'aura plus besoin d'être cultivé pour être heureux... Il se pourrait bien que le simple fait de pouvoir dire clairement: «Je m'appelle Cécile» mettra cette femme dans un état de bien-être paradisiaque... Si on avance trop, on recule, non?

As-tu lu le *Thésée* d'André Gide? Cet auteur qu'on ne lit plus raconte l'histoire du personnage mythique d'une façon fort troublante. Normalement, le Minotaure dévore les jeunes Athéniens et Athéniennes qu'on amène chaque année comme tribut au roi Minos. Mais dans l'histoire de Gide, quand *Thésée* arrive dans le labyrinthe, il a la grande surprise de passer par une salle où sont assemblés tous les Athéniens qu'on a envoyés au Minotaure depuis des années. Ces gens-là sont attablés, festoyant, buvant, mangeant, fumant, faisant l'amour, jouissant jusqu'au bout de tous leurs sens. Et le Minotaure est endormi! Je crois que l'idée de Gide est fantastique. Il a renversé un mythe pour en créer un autre... Dans quelques centaines d'années, les humains seront peut-être tous dans ce genre de labyrinthe, la proie d'un dieu qui les laissera jouir en paix... sans payer d'impôts? Non. Il n'y aura plus d'impôts à payer, parce qu'il n'y aura plus d'argent...

I l est certain que tu n'as pas oublié l'avenue Sainte-Geneviève, où nous avons déménagé pour la dernière fois à Québec. Pour décrire ce que nous voyions de notre fenêtre au 37 de l'avenue Sainte-Geneviève, j'ai écrit:

> «On a l'impression que le temps s'est arrêté pour se coller aux vieilles pierres. Le temps et la pierre se regardent, n'en finissent plus de se dire qu'ils s'attendent, assis tous les deux sur le seuil de l'éternité.»

Je crois que j'ai eu une belle intuition. Je suis en train de lire une œuvre d'Annick de Souzenelle: *Le Symbolisme du corps humain*. Or, à la page 158, je tombe sur le passage suivant:

> «La pierre est le symbole de l'Homme en qui l'éveil de la conscience s'est fait.
> Il participe de la vie de la Pierre d'Angle qui est la Personne archétipielle du Fils, le Messie... L'Homme éveillé, fils du père, connaît le chemin de l'unité à reconquérir.
> Est pierre vivante celui dont la conscience est née.»

Je trouve cela profondément troublant. Il m'apparaît évident que chaque étape que nous franchissons est une nouvelle prise de conscience, un pas en avant. Or, chacun de nos déménagements était une étape, une espèce de réveil de la conscience. Mon subconscient m'aurait donc bien inspiré, en me faisant lorgner du côté de ces vieilles pierres, en souvenir, 20 ans après, de notre passage dans ce quartier... Il faut dire que ce fut la période la plus heureuse, ou la moins difficile, de notre vie à Québec. Durant cette année-là, notre insouciance fut un peu moins inventée, si je puis dire.

Puis, survinrent ton mariage et notre séparation... Pour toujours. Mais à l'âge que nous avions, le mot *toujours* n'avait pas tellement de sens. Le fait que ton départ n'ait pas soulevé beaucoup d'émotion chez nous est le signe que notre relation était en bonne santé. La seule chose qui comptait, c'était le futur. Et à l'époque, la société avait les moyens de nous donner de l'espoir. Mais je ne suis pas nostalgique. Il faut toujours s'atteler à la charrue et tirer, quelle que soit la qualité du sol à labourer.

J'ai envie de te livrer l'une de mes fantaisies. Je suis convaincu que l'Univers a un pouls, un rythme, comme notre cœur. Mon rêve le plus secret et le plus cher, c'est d'entrer en concordance de phase avec ce rythme. Que m'arriverait-il à ce moment-là, selon toi? Je crois que je monterais dans les airs, vers la lumière, symbole d'intelligence et de vérité. Alors, je pourrais tout comprendre, même la bêtise humaine. Si jamais je me rends là-haut, je te téléphonerai pour te dire ce que j'aurai trouvé dans la cuisse de Dieu-Zeus-Jupiter, cette trinité-une qui nous attire et nous torture depuis si longtemps.

Puis, ce fut ton premier spectacle en solo au *Gesù*. Ce soir-là, quand tu salues le public qui t'ovationne, le moment est capital pour notre monde du spectacle. On ne le dira jamais assez. Mais ce qui est merveilleux, c'est qu'à ce moment-là nous ne pensons pas à cela. Nous sommes tout entiers à la joie que nous éprouvons. Rien qu'à elle! Pourtant, c'est à partir de là que les boîtes à chanson vont se multiplier, que les auteurs-compositeurs-interprètes vont pousser comme des champignons et s'installer sur nos scènes pour prendre la place qui leur revient. Plusieurs de ces Québécois, que nous avons appelés nos chansonniers, sont allés faire connaître le Québec ailleurs dans le monde, particulièrement en France. Bien sûr, il n'y a pas que du caviar dans cette manne que nos enfants chéris ont répandue un peu partout, mais on peut affirmer sans se tromper qu'ils ont enrichi notre patrimoine culturel de façon extraordinaire. Dans une centaine d'années, nous saurons quels sont les meilleurs d'entre eux. Ceux qui resteront... Il me paraît évident que tu seras là, en haut de l'affiche.

J e viens de relire la dernière page de *Gilles Vigneault mon ami* et j'ai eu une surprise. Je t'ai comparé à une rivière, ce qui était pas mal du tout. Depuis quelques années, quand je veux expliquer la manie que j'ai de faire dans la mythologie, je me sers aussi de la rivière, disant à peu près ceci: «La vraisemblance n'a rien à voir avec la vérité. De sorte que la mythologie peut être plus vraie que la vie quotidienne. Par exemple, une rivière, dans la vraie vie, coule plus ou moins vite selon l'inclinaison du terrain, et elle va se jeter gentiment dans la mer, sans histoire. À moins qu'il y ait des inondations, bien sûr. Mais la rivière mythique, elle, peut couler tranquillement pendant un certain temps, devenir serpent, sortir de son lit, aller dévorer quelques petits moutons et revenir dans son lit, en eau, comme avant. Or, cette rivière-ci me semble plus vraie que l'autre...»

Tu n'es pas obligé de te changer en serpent pour autant...

PHOTO: JEAN CLAUDE LABRECQUE

Tu es devant ma caméra

J'ai travaillé à la mise en scène de tes spectacles avec Jean Bissonnette pendant trois ou quatre ans, et un jour je me suis aperçu que je n'étais pas absolument nécessaire. J'ai eu la bonne idée de laisser tomber sans qu'il y ait la moindre friction entre nous. Je t'ai regardé monter, heureux, et j'ai dépensé mon temps autrement, assis à ma machine à écrire. En 1971, à Radio-Canada, on m'a demandé de faire un film d'une heure et demie sur toi. Une aubaine!

Au service de la grande société d'État, j'ai réalisé plusieurs niaiseries, comme cela arrive fatalement à tous les réalisateurs de télévision, mais j'ai réussi quelques émissions qui étaient pas mal du tout. Sans me vanter... Parmi celles-là, le film que j'ai tourné avec toi est l'une des meilleures. En 1972, pendant que je rédigeais la première version de ce livre, je devais être en train de travailler au montage du film avec Jacques Clairoux, qui a fait un travail magnifique. (De beaucoup en avance sur son temps!)

Le tournage fut un joyeux pique-nique, sans doute parce que nous l'avons abordé avec le même esprit que tout le reste, c'est-à-dire sans nous prendre au sérieux. Nous sommes allés à Rimouski, où je t'ai fait marcher sur le préau, là où tu avais tourné en rond pendant toute ton adolescence en rêvant à l'avenir, mais en pensant à la Côte-Nord. Au coin de ce préau, je t'ai installé debout, regardant vers le nord, et je t'ai filmé longuement. Le nord qui nous appelle tous, pour des raisons mystérieuses. Au fait, sais-tu ce que ça veut dire, *septentrion*? Rien d'autre que «les sept bœufs de labour», l'Ourse polaire... Peut-être avons-nous tous envie, secrètement, de nous faire labourer par ces bœufs-là? Il y a eu la marche vers l'ouest, qui s'est cassée le nez sur le Pacifique. D'ici quelques centaines d'années, il pourrait bien y avoir la marche vers le nord. Se diriger vers un pôle n'est-il pas un mouvement normal? Ce pourrait être le dernier mouvement de la civilisation... Je te signale que je le suggère d'une certaine manière, à la fin de mon dernier roman, intitulé *Gaïagyne*.

Au cégep de Rimouski, notre ancien Petit Séminaire, nous avons eu la joie de retrouver notre cher Ti-Georges Beaulieu, et voici ce qu'il a dit à ton sujet. Je le transcris ici parce que je suis sûr que tu n'as pas vu l'émission:

«Gilles Vigneault arrive de la Côte-Nord, la basse Côte-Nord, en 1941-42. Et je pense qu'à ce moment-là s'est produit ce traumatisme chez Gilles: il arrivait à la maison, ne connaissait personne et il y avait 400 à 500 élèves, une série de professeurs en soutane, et alors, à ce moment, il se fait des amitiés; à ce moment aussi, il a une certaine crainte, il est timide. Il est grand, efflanqué, je dirais, avec des cheveux en broussaille. Gilles révèle déjà qu'il a une pensée très haute et très noble derrière la tête, mais on ne le soupçonne pas. Eh bien! à ce moment-là, le coudoiement avec ses confrères pourra devenir un peu difficile. Et il y a ce règlement: monter au dortoir, redescendre de bonne heure le matin, la messe, le déjeuner, les classes... un horaire qui en fait comme un oiseau captif. Il a souvent déclamé devant moi *L'Albatros* de Baudelaire... En rhétorique, j'enseignais le latin et le grec, de ma meilleure façon, n'est-ce pas! Et je tâchais avec beaucoup d'enthousiasme d'écrire au tableau, puis de disloquer les phrases, et aussi de briser les mots, la soudure des mots et des préfixes, etc. Mais mon Gilles, dans ce temps-là, mon Gilles me regardait de temps à autre avec un petit œil à l'ombre de ce grand nez... Et puis, il faisait de la poésie. Il écrivait, il écrivait... Puis, avec une gentillesse, je dirais même avec une certaine ingéniosité, il arrivait à la fin de la classe, et puis il me montrait ses vers. ‹Comment trouvez-vous ça, monsieur?»

Nous sommes allés à l'île aux Coudres. Pourquoi faire? Pour voir le peintre Jean Paul Lemieux qui habitait là, retiré du monde, seul avec son subconscient et ses pinceaux. Mais il nous fallait une autre bonne raison pour faire ce voyage. Tu t'en souviens? C'est à cause de ta très belle chanson qui s'intitule *Le Nord du nord*. (On s'en sort pas!) Or, Lemieux a fait une toile intitulée *Le Nord du nord* pour illustrer l'un de tes disques, et je voulais qu'il nous donne un témoignage sur toi. Ce qu'il fit avec la meilleure grâce du monde.

Mais il y eut un moment cocasse dans l'histoire de ce tournage. Je suis sûr que tu ne l'as pas oublié. Évidemment, nous voulions un témoignage de notre cher maître, notre cher père, notre vénéré Mgr Savard. Donc, en route pour Rimouski, nous arrêtons à l'Université Laval, pour le voir et prendre les dispositions nécessaires. En allant à l'île aux Coudres, nous pourrions nous arrêter chez lui, dans son cher comté de Charlevoix, qui, selon lui, est plus beau que toutes les Florence du monde! (C'est vrai que c'est beau, peut-être à cause du visage que lui a façonné une grosse météorite il y a quelques millions d'années!)

Nous croisons Monseigneur sur le perron de la faculté des lettres, dans le nouveau campus, à Sainte-Foy. (Eh oui! il a fallu déménager, et maintenant les pauvres étudiants ne voient plus les vieilles pierres de la rue Sainte-Famille...) On se serre la main chaleureusement, mais tout de suite je lui trouve un air bizarre.

– Je tourne un petit film sur Gilles. Est-ce que...

Il ne dit pas non. Il ne peut pas dire non... Mais quand on parle de prendre rendez-vous avec lui dans le comté de Charlevoix, après quelques phrases réglant des détails techniques, il me dit brusquement:

– Arrive-moi pas là-bas sans me téléphoner à l'avance!

Un ange cornu passe entre nous, tu t'en souviens? Nous nous séparons avec les grimaces et les gestes de circonstance, puis nous nous regardons avec le sourire de notre vieille complicité. Monseigneur Savard est jaloux! Son ancien élève est devenu une vedette, alors que lui, qui a écrit des livres si importants, il est encore un obscur pédagogue! La conclusion s'impose: je ne téléphonerai pas à Mgr Savard, et nous n'irons pas chez lui l'obliger à dire des gentillesses à ton égard, poète qui danse et qui chante. Adieu, cher ancien maître. Nous vous avons beaucoup aimé, vous nous avez donné beaucoup. Merci. La roue tourne...

Au fait, je me demande si on lit encore ses livres... Pardon, Monseigneur! Mais là où vous êtes en ce moment, au ciel, il doit bien y avoir un ange qui vous tient la plume et qui vous aide à célébrer le vol des hirondelles, afin de soulager les pauvres bougres qui sont en enfer parce qu'ils n'ont pas su apprécier Claudel... (Gilles, je me permets cette petite effronterie parce que moi, personnellement, je ne lui dois pas grand-chose. Il est bien possible que je meure vachement anticlérical, le Voltaire du Québec!)

Un jour, nous arrivons à Natashquan en avion, mais nous devons faire demi-tour et aller coucher à Sept-Îles parce qu'il y a trop de brouillard pour atterrir. Le lendemain, il me semble qu'il y a autant de brume que la veille, mais notre pilote (de brousse?) décide qu'on a assez perdu de temps. On descend jusqu'à la tête des épinettes, puis il donne un solide coup de manche à balai qui fait gémir la structure de sa brouette. Quelques secondes de bonne angoisse et nous frappons la piste de sable. Applaudissements généreux, comme si on revenait du Mexique!

Alors, je fais la connaissance de tes amis d'enfance, Jean-Pierre, Jean-Paul et Ti-Can, qui me parlent de toi avec la simplicité qui les caractérise. Devant la caméra, leur discours est ponctué de longs silences qui disent l'émotion et la sincérité. J'en suis presque gêné de les forcer à s'ouvrir. Comment puis-je leur imposer l'indécence? Sale métier...

Je fais aussi la connaissance de ta mère, une vingtaine d'années après t'avoir présenté la mienne. J'ai l'impresion qu'elle t'aime à la manière de maman. Tu sais, maman ne m'a jamais dit: «Roger, je t'aime.» Mais, étant enfant, je l'ai vue laver les bébés devant le four du poêle, en hiver, les sécher en les caressant, leur donner le sein, et je savais bien qu'elle m'aimait. Elle m'embrassait une fois par

Gilles Vigneault en 1994 avec sa mère.

année, le matin du jour de l'An. Nos lèvres se touchaient pendant deux secondes, et c'était suffisant. Je crois que je suis encore un homme heureux à cause d'elle, parce que je n'ai jamais désiré une autre mère que la mienne. J'ai l'impression qu'il se passe la même chose entre ta mère et toi. Je vous filme tous les deux en train de jouer une partie de scrabble. Tout cela est simple comme un beau regard d'être humain qui s'interroge sur le sens de la vie. On dirait que le temps s'est arrêté. Chez toi, un peu comme chez moi, la vie n'est pas grouillante, essoufflante, gémissante, bouillonnante. Il y a de l'espace en masse. Et quand il y a beaucoup d'espace, il y a toujours plus de temps...

On dirait que la vie est une très belle fleur composée d'un seul pétale; non, d'une seule cellule. On peut la prendre dans ses mains et la respirer, la bercer comme un petit animal qui nous aime.

Dehors, sur les rochers, tu parles à la caméra et ta voix s'emmêle aux longs gémissements des goélands. Pendant les deux jours que je passe à Natashquan, j'ai l'impression de me purifier.

Puis, c'est la France. À Lyon, sur une scène en plein air, quand tu gueules le mot *liberté* à la fin de *Gens de mon pays*, c'est le délire. Debout à côté de ma caméra, parmi la foule, j'ai une boule dans la gorge. À propos de cette chanson, je voudrais te faire une petite confidence. C'est à cause d'elle que j'ai forcé le regretté Paul de Margerie, pianiste, à venir te voir en spectacle. Je lui ai dit que tu faisais des chansons qui étaient plus que des chansons! À la fin de *La Danse à Saint-Dilon*, il y a près de moi un brave type qui est éberlué. «Ah ben! dis donc!» qu'il répète à plusieurs reprises. On t'aime, on t'adore.

Tu triomphes aussi à Liège, en Belgique, et nous arrivons à Paris. Là, je téléphone à l'écrivain et conteur Jean-Pierre Chabrol, que je ne connais que par la télévision. Il m'accorde tout de suite un rendez-vous chez son éditeur, Gallimard. Nous nous regardons, nous nous serrons la main, et tout de suite nous savons tous les deux que nous sommes des amis. Cet être merveilleux, homme de plume et de spectacle, parle de toi comme s'il était en train de te sculpter devant nous:

«Moi, je l'ai d'abord connu comme conteur, Vigneault, et alors moi je croyais que les types du nord étaient incapables de conter; d'ailleurs, en Europe, ils sont incapables. Au-dessus de la Loire, y a plus personne qui raconte des histoires. Et je m'aperçois que ce type du pays de neige, quand même, je crois, moi, que ça a glacé quelque chose – à partir d'un certain degré au-dessous de zéro – ben, pas du tout! Y a une chaleur. D'ailleurs, il a besoin de ça pour supporter la neige, parce que je suis allé après chez lui dans sa maison; là on a parlé, on avait tout le temps pour parler. Et alors, il a fait griller de la viande épaisse comme ça, on se croyait chez les Vikings, on avait du mal à la bouffer! Et il me parlait de son père, il me parlait de Natashquan, il me parlait de la pêche, il me parlait de la mer. On faisait griller sa viande, il y avait

une espèce d'odeur de viande qui grille, un peu pois-
seuse, un peu... et ses mots étaient nourrissants. Alors,
on s'est mis à manger et je sais pas pourquoi j'ai parlé de
bateaux. Et tout d'un coup, il s'est mis à me raconter
comment à Natashquan on construit des bateaux en
bois. Il commence par la première pièce de bois de la
quille et, pièce par pièce, il construit un bateau avec des
mots et ce bateau, c'est... c'est ça l'art du conteur, c'est
mettre des choses vivantes! Moi, je pouvais naviguer sur
son bateau, là, tout de suite! Je pouvais hisser les voiles...
Mais y a un truc où je l'envie... c'est que lui il a un pro-
longement que je n'ai pas: c'est la chanson. C'est qu'un
moment donné l'exultation du conteur devient telle, on
est tellement... c'est tellement savoureux de parler, de
raconter, surtout quand on emploie des mots dont on
sait le poids. Quand on dit *manger*, ça met de la salive
dans la bouche. Quand on est capable de ça, il arrive un
moment où on a besoin d'aller plus loin... et moi je reste
court, tandis que lui chante... lui danse! Il me fait penser
à deux personnages classiques de la littérature, un qui est
un personnage de Steinbeck, un de ces pauvres va-
gabonds. Je crois que c'est dans *La Rue de la sardine*, où
Doc récite un poème qui est tellement beau que le va-
gabond peut plus tenir, il va dans la pièce à côté, il fait
quelques pas de danse puis il revient. Et Gilles, je l'ai vu
moi, par exemple à Québec, à l'université, sous une
tente. On pataugeait dans la boue, il y avait des grappes
de jeunes qui étaient assis par terre dans la boue, et à un
moment donné y avait la salle, Vigneault qui parlait et
qui parlait avec ses mots si simples, comme ça, vous
savez: ‹Les touristes disent à mon père: ‹Comme c'est
loin, Natashquan!›, et mon père leur fait: ‹Loin de qui?›
Ça, c'est... Là, voilà, c'est le génie du conteur!»

Je vous filme tous les deux sur la butte Montmartre,
regardant Paris, monstre que vous avez conquis tous les
deux.

Par la suite, je suis allé filmer Chabrol chez lui, à deux reprises, dans les Cévennes, pour d'autres émissions. Une vraie fête! Je l'ai revu il y a deux semaines à Paris, et il te salue chaleureusement.

À Natashquan, je t'ai filmé sur les rochers qui ornent les bords du fleuve-mer. À Paris, je ne peux m'empêcher de te faire traverser la Seine sur le pont Alexandre III, et je me régale de cette image: le fils du pauvre pêcheur s'avance, le pas assuré, sur un symbole de grande civilisation! Tu t'en souviens? Il faisait beau et la capitale de la France chantait! En visionnant cette scène, il y a quelques jours, je t'ai revu, 22 ans plus tôt, montant et descendant la rue Saint-Jean à Québec, les cheveux au vent, le ventre vide, les yeux pleins d'espoir. C'était tout ce qu'il y avait au menu, à l'époque: le rire et l'espoir...

Je t'ai aussi emmené à la place des Vosges, pour rien... Seulement parce que c'est l'une des plus belles places de Paris, et aussi, surtout, parce que Victor Hugo a vécu là. Dans cette construction classique du XVIIe siècle, où triomphe l'harmonie, j'étais heureux de te faire marcher dans le même air qu'avait respiré l'auteur des *Misérables*, le poète qui a eu les plus grandes funérailles imaginables. Si je me souviens bien, la scène que nous avons tournée là est un peu surréaliste. Je ne sais plus pourquoi, mais je t'ai fait marcher sur le trottoir, portant un chandelier dont les bougies n'étaient pas allumées. Tu en as soufflé une, et tu as ri... C'est là que tu m'as demandé quelques minutes pour écrire deux ou trois vers qui te passaient par la tête. Mon Dieu que la vie était belle!

Je ne te l'ai jamais dit, mais j'ai vu Raymond Devos pour la première fois à la télévision, un dimanche soir, en 1958, chez des amis à Tain-l'Hermitage, en France. Pour moi, ce fut un choc merveilleux. Deux ans plus tard, il venait à Montréal pour y donner un spectacle et j'ai eu le bonheur de l'avoir à mon émission, *G M vous invite*. Nous sommes devenus de bons amis. Quand tu as conquis le public français, Devos est allé te voir et, tout naturellement, entre grands vous vous êtes reconnus. Bien sûr, à Paris, je suis allé le voir avec ma caméra, et voici ce qu'il a dit à propos de son ami Gilles Vigneault:

> «Vous savez, monsieur, je fais ce qu'on appelle un *one man show*. Je sais donc très bien ce que c'est. Et j'ai vu très souvent Vigneault en scène exercer, je veux dire son métier... C'est un art, c'est un art de savoir faire l'acte d'exercer un métier. Mais on est très frappé, il est évident, par la dépense physique de l'artiste. Un artiste se donne, mais c'est véritable! Il se donne et quelquefois – je veux pas dire qu'il en meurt parce que tout de même ce serait très triste, mais enfin – en tout cas, il en sort épuisé, il faut voir un artiste après son tour, quoi! Et Vigneault, l'être le plus généreux! Je suis désolé de dire du bien de Vigneault tout le temps – il est évident que quand on dit toujours du bien de quelqu'un, on finit par se dire qu'on s'envoie... Dieu merci, il ne me renvoie pas la balle, j'ai le beau jeu! Oui, Gilles Vigneault est un être excessivement généreux. Et quand on donne, on donne! Car il est évident que quand il faut donner c'est redoutable! C'est pour ça que la générosité, c'est très difficile! Savoir s'arrêter... c'est un acte d'amour. Il est pas question, en amour, de chipoter! De dire: ‹Je t'aime jusqu'à une certaine limite, et puis c'est fini! Après ben...› Alors, forcément, ça appelle une dépense nerveuse et psychologique considérable. Et je crois que c'est ce qui caractérise un artiste, c'est qu'il peut, il a la faculté de se donner complètement et à fond – ce que fait Vigneault évidemment! – et il a le pouvoir dans les instants qui suivent, c'est-à-dire après s'être donné, de récupérer très vite... C'est pourquoi on peut l'assimiler à un sportif. La force d'un sportif, c'est de pouvoir faire une étape exténuante, se reposer, récupérer et repartir. Je crois que c'est ce qui caractérise les champions. C'est pourquoi on peut dire que sur le plan physique Vigneault – qui, *a priori*, il faut bien le dire, n'a pas l'allure d'un athlète! – physiquement, on peut pas dire que ce soit un athlète...

eh bien, c'est quand même un athlète! C'est un athlète par cette faculté qu'il a de tout donner et de récupérer facilement. Et vous, croyez-moi, hein, si le public ne redonnait pas ce qu'il ressent – car il rend, le public, c'est pour ça que c'est merveilleux... Le phénomène du spectacle est un phénomène prodigieux: c'est que dans la mesure où Vigneault se donne et le public le lui rend – et Vigneault se recharge – si bien que finalement Vigneault, en donnant, il est gagnant! Lorsqu'on se rencontre tous les deux, on se tombe dans les bras, on s'embrasse, on est joyeux. ‹Comment tu vas? – Bien, et toi? – Ça va. Alors, comment ça marche?› Alors, on parle de nos succès: ‹Ça a bien marché? – Ah oui! formidable, tu peux pas savoir, merveilleux! Et toi? – Ah ben! oui, c'est pareil, je viens de faire une spectacle merveilleux...› Et quand je dis: ‹À part ça?...› ‹À part ça, je...› je sens dans son œil, tout d'un coup, une espèce de petit voile, là. Ça veut dire, je sens dans son œil... tous mes problèmes.»

Pour moi, le tournage de ce film fut une aventure merveilleuse. Je crois que je te connaissais assez bien; mais peut-on vraiment connaître un autre humain? Je veux dire jusqu'au cœur du cœur de sa conscience? Je ne crois pas. Tout comme je ne suis pas sûr du tout de me bien connaître. Toujours est-il qu'à la fin, si tu t'en souviens, je t'ai imposé l'impossible. Je t'ai fait asseoir devant la caméra et je t'ai demandé:
– Qui es-tu?
Or, contrairement à ce qui se passait quand tu étais jeune, alors que la pudeur n'existait pas pour toi, là, elle t'a empêché de parler. Il y a des limites à l'indécence! Voilà pourquoi je suis allé te voir avec ma liste de questions...

TROIS

Vigneault, de l'ado à l'homme nouveau

ROGER FOURNIER – Quelle est, pour toi, la chose la plus importante dans la vie, ou plus précisément dans ta vie?

GILLES VIGNEAULT – Je ne sais pas laquelle il faut mettre en premier, mais comme c'est la même chose dans les deux cas, d'aimer et d'être aimé.

R.F. – C'est drôle parce que tu dis exactement la même chose que j'ai dite, dans la première version du bouquin, quand je parlais à ta place dans le passage intitulé «Ce que je crois». Aujourd'hui, où places-tu la poésie par rapport aux autres valeurs?

G.V. – Pour moi, la poésie, c'est pas ce que j'appellerais une valeur... Oui, c'en est une aussi, mais pour moi ça reste un outil ou un chemin. C'est un moyen d'aller vers les autres et de faire que les autres viennent à soi. La poésie représente une de ces valeurs parfaitement marginales qui font plus avancer la société que les valeurs dites de la norme... La poésie est un petit dérangement, un élément de changement. C'est un moyen de changer le monde par un chemin qui est le plus simplement applicable à la poésie, qui est de nommer autrement. C'est pour ça que je considère la langue comme si importante, la langue de chacun ses racines, de ses origines, parce que c'est un moyen de changer le monde, un des nombreux moyens, parce qu'il y a beaucoup de langues sur la planète, et c'est un moyen très grave... Voilà une valeur, la langue. Parce que c'est une valeur pour chaque civilisation, chaque peuple, chaque pays. Quand il n'y aura plus qu'une façon de dire les choses, on ne pourra plus les changer. Et on mangera tous des hot dogs et des hamburgers et on boira tous du coke... Moi, je préfère le bordeaux... Pomerol, par exemple!

R.F. – Ton attitude, aujourd'hui, face à la mort? Je t'ai déjà entendu dire à des jeunes: «Mon rêve, être éternel... ne jamais mourir».

G.V. – C'est une manière de dire à propos de ce qu'on a fait. Mais c'est pas une manière de dire à propos de ce qu'on est physiquement. Oui, volontiers si on me le propose, je commencerais à parler d'une petite éternité ou deux, c'est-à-dire... il faudrait commencer par essayer 1 000 ans pour voir... à quel moment on commence à s'ennuyer sérieusement. Encore que l'ennui ne soit pas une chose si ennuyeuse... à vivre. L'ennui, c'est extrêmement créateur, vu de moi. Alors, moi, je commencerais par essayer 1 000 ans pour voir comment je résiste à ça. Comment ma tête résiste à ça. Le cœur et l'âme. Pour moi, la mort physique n'est pas une mort inéluctable. C'est pas une disparition d'avec la vie. C'est un peu pour réaliser ça que j'écris, peut-être... Parce qu'après moi y aura peut-être quelqu'un qui, pour endormir un enfant, lui chantera *Qu'il est difficile d'aimer...* Ça me suffira pour être vivant encore... J'aime que Leclerc ait dit: «La mort, c'est beau la mort, c'est plein de vie dedans». Il termine ainsi sa chanson sur la mer, l'amour, la mort. Pour moi aussi, c'est plein de vie dedans. Parce que je puise ce que je dis, pour une grande partie, et surtout le goût de le dire, dans des vies qui sont apparemment disparues sur la Terre, dans mon passé. Alors, je parle souvent de personnages qui sont décédés au sens ordinaire, mais ils ne sont pas morts tout à fait simplement puisque j'en parle, et puisque d'autres en ont parlé avec moi, et il arrive que certains de ces personnages-là reprennent une vie dans ce que je dis. Mais, en plus de ça, je crois qu'il y a une vie après la mort. Alors ça, c'est le vieux pari. On décide d'opter pour une espèce d'alternative: moi, j'opte pour la surprise, une surprise que je n'aurai pas si y a pas de vie après la mort, une surprise que j'aurai... si y a quelque chose...

R.F. – Moi, je trouve que, moralement, tout se tient. Est-ce que, selon toi, tout se tient aussi physiquement?

G.V. – Oui, tout se tient physiquement aussi... c'est-à-dire que c'est très honorable de retourner nourrir un arbre... quand on nous enterre proprement! Et on a de la chance quand on est enterré proprement et non dans la fosse commune. Cela est arrivé à des Irlandais, à des Rwandais récemment, et à d'autres. Beaucoup, dans l'histoire. Déjà, être enterré, c'est un luxe inouï aujourd'hui. Les cendres aussi, ça... ça se laisse descendre et ça prend moins de place.

R.F. – Le rire: son importance aujourd'hui. Dans le temps de la jeunesse folle, c'était un remède, je crois, pour nous deux. Mais on ne rit plus pour les mêmes raisons?

G.V. – Le rire, c'est bénéfique sur tous les points, pour toutes les santés. J'ai passé, des fois, du temps à rire, de tout et de rien mais de rien surtout, ce qui m'a été terriblement bénéfique par la suite. Parmi les plus grandes séances de rire que j'ai eues dans ma vie, y en a une avec George Langford et Jean-Guy Moreau. On a passé presque une semaine à rire, de nous d'abord, bien sûr, et de tout ensuite. Et on avait lancé une confrérie, qui était pas une confrérie du rire mais une confrérie pour rire. Nous rions encore beaucoup aujourd'hui pour des raisons semblables. Avec Jean-Guy et George, on avait axé notre rire sur la paresse; sur la paresse qui était la parfaite économie et sur l'oisiveté qu'il fallait instaurer dans nos vies et instituer en grande valeur. Par exemple, on avait fait des proverbes qui nous rappelaient le poème de Saint-Amand: «C'est à peine si j'ai pu me résoudre à t'écrire ces vers...», qui finit son sonnet du paresseux. Ça, c'était de la Renaissance, je crois. Et puis, à la suite, on disait par exemple: «Comme on ne saurait se hâter de se reposer, il faut commencer tout de suite!» Y a eu bien des dires, on appelait ça «les dires du grand détendu» et le grand détendu, c'était George Langford, bien sûr, qui l'est toujours d'ailleurs... Depuis un moment j'écrivais là-dessus, et puis George m'avait dit: «Tu te fatigues pas à écrire de même?» Alors, y a des folies comme ça qui sont pas drôles si on n'est pas dans le contexte, qui sont insignifiantes hors du contexte, et c'est pourquoi je n'en ajoute pas davantage.

Avec des folies comme ça, on arrive à un rire sain, juste, de fort bon aloi, sans faire de tort à personne, sans penser à mal même de personne ni de nous-mêmes et sans se prendre pour d'autres non plus. Quand on rit et qu'on se prend pour d'autres, le gars devient sérieux et idiot. Je n'ai jamais autant gagné que lorsque j'ai perdu du temps à rire.

R.F. – Ce qui nous ramène à Devos qui a dit: «C'est pas important, le rire, c'est capital.»

G.V. – Absolument. Voilà qui est sérieux!

R.F. – Le principe de croissance... La mort du Soleil... L'humanité va disparaître, est-ce qu'on peut être heureux quand même?

G.V. – L'humanité, c'était peut-être pas aussi important que l'humanité l'a prétendu... On verra ça... plus tard... Si on n'est pas là pour le voir, y en a d'autres qui le verront. Y en a peut-être qui le voient déjà...

R.F. – Oui, j'ai parlé de ça avec Hubert Reeves, et c'est lui qui m'a appris que le Soleil allait mourir dans cinq milliards d'années...

G.V. – Oui, c'est une petite étoile, notre Soleil. Dans la galaxie, c'est pas une *star*.

R.F. – Alors, j'ai dit: «Écoutez, on est coincés, là...» Mais lui, il a dit: «Non, c'est pas grave, on va peut-être trouver le moyen de...» Mais à part ça, il faut se demander ce que sera la vie dans cinq milliards d'années...

G.V. – On aura peut-être aussi fabriqué d'autres soleils...

R.F. – Oui. Lui, il pense qu'on va peut-être touiller le Soleil pour le faire repartir, mais y a aussi le fait que les hommes ne seront peut-être plus les hommes que nous connaissons aujourd'hui... C'est très possible.

G.V. – Et ce serait pas obligatoire...

R.F. – La grande calamité de notre fin de siècle, c'est quoi, selon toi?

G.V. – J'ai peur de dire des grosses bêtises, là... Pour moi, la grande calamité de notre siècle, et des siècles qui viennent, c'est une espèce de fossé qui est créé entre le bonheur de l'homme et les moyens pour l'atteindre. On pense à rien et on fabrique tout. La technologie, les miracles de l'intelligence artificielle qui fait marcher ses roulettes dépassent, c'est le cas de le dire, la marche de la pensée et de la philosophie. C'est-à-dire que l'homme dans son humanitude n'est pas arrivé à concilier son avancée et son progrès technologique effarant, et on a fabriqué des bulldozers pour écraser des mouches. Malheureusement, on ne fait encore qu'écraser des mouches avec ça. Je pense à tous les ordinateurs et à tous les systèmes de réseaux... Mais y a des bonnes choses là-dedans! C'est-à-dire qu'on est entrés en communication et là c'est pas une calamité, c'est du mieux! On est entrés en communication les uns avec les autres. La planète est contemporaine d'elle-même. Nous savons d'un côté et de l'autre de la planète qu'il y a d'autres hommes qui sont comme nous. La jeunesse chinoise sait qu'il y a une jeunesse américaine et européenne. Elle en est donc contemporaine. Mais avant, avant la technologie, avant les moyens de communication d'aujourd'hui, la jeunesse se croyait seule au monde. Partout, dans chaque pays... Elle n'était pas contemporaine d'elle-même de façon planétaire. Aujourd'hui, oui. Et puis, on arrive à guérir des maladies et on a sans doute contribué à en créer d'autres... en guérissant les premières. Donc, c'est comme si on était dans un système pas encore intégré. L'humain n'a pas intégré ça à son but premier dans la vie: être heureux. Sa quête, son vœu initial, c'est de rechercher le bonheur. Or, la recherche du bonheur n'est pas un préalable à la recherche technologique. La preuve, c'est que la technologie ne favorise pas le bonheur pour l'humanité. Mais j'ajoute que ça viendra peut-être. Et puis, on est à la veille de savoir, de façon globale, dans l'humanité, que la guerre c'est pas bon. C'est pas un bon truc. C'est un truc qui devrait pas avoir de succès. On va toujours avoir des sortes de guerres, on sortira pas ça de l'humain. On a peut-être appris, avec cette fin de XXe siècle, que l'amour et la guerre sortent sensiblement du même être, sinon des mêmes chromosomes ou des mêmes gènes. Je fais pas le détail, là, parce que j'en connais pas plus, mais je sais que la même sorte de pulsion humaine donne d'un côté l'amour et de l'autre côté la guerre, ce qui n'est pas rassurant du tout.

R.F. – Quand on était à l'université, notre espoir était teinté d'insouciance et... indestructible. Aujourd'hui, quelle serait la couleur de ton espoir?

G.V. – P't'être ben bleu... parce que, moi, je suis pour la petite lumière bleue. C'est mon option, c'est mon choix, au carrefour. Quand je vois plus rien, dans le noir, je suis porté, non seulement à me dire, mais à dire que je crois qu'y a une petite lumière bleue. Ça veut pas dire que je la vois encore! Ça veut dire que je la crois. Je la suppose, je la propose, je la fais s'allumer, et à un moment donné, à force de m'en convaincre, je la vois. Mais c'est pas encore une petite lumière blanche, ou jaune, c'est une petite lumière bleue, c'est faible, mais mon espoir, mon espérance me dit: «Ressemble à ça! À une petite lumière bleue!» Que j'invente, que je fais donc exister et, à la fin, y en a une. Elle est là, peut-être beaucoup parce que je l'ai nommée. Nommer... c'est grave.

R.F. – Est-ce que tu regrettes d'avoir été innocent au temps de l'université? Aujourd'hui, c'est la liberté totale... Toi, comme moi, on n'a pas fait aller nos corps... Est-ce que tu le regrettes?

G.V. – Pendant un temps, je l'ai regretté, mais maintenant non. Si j'avais... mais j'aurais été très inquiet d'être innocent plus longtemps. Parce que, à force d'innocence, on peut être coupable! Et puis, on finit par apprendre que la liberté n'est qu'un choix... de chaînes.

R.F. – Moi, j'ai toujours trouvé que les hommes sont très fiers de leur paternité, et ça me paraît ridicule. Qu'est-ce que t'en penses?

G.V. – Je crois qu'on doit être fier de tout ce qu'on est qui va vers le plus être de l'homme et qui tend à faire de nous des hommes responsables de plus que soi, et non pas de perpétuels innocents; je crois que c'est favorable; on doit être intéressé par ça et favorable à tout ce qui est de nature à nous rendre plus que ce que nous sommes... à nous donner du plus être. Mais il faut garder de la mesure et ne jamais oublier que neuf secondes c'est neuf secondes et que neuf mois c'est neuf mois.

R.F. – L'argent?

G.V. – L'argent, c'est... ça me fait penser au nationalisme... c'est un outil. L'argent, c'est un moyen non pas pour accéder au bonheur, mais de se procurer des éléments qui peuvent y contribuer. Mais c'est loin du bonheur, et c'est comme un couteau de cuisine. C'est pour ça que j'ai pensé au nationalisme. Un couteau de cuisine qui a été bien bien bien aiguisé, si t'as ça sur la table pis que t'as besoin de couper le pain, ou de couper le pain de viande, ou je sais pas moi, le rôti, c'est pas mal, ça... ça va contribuer. Mais ça peut devenir une arme! Ça peut être effrayant si ton beau-frère arrive pis qu'il considère que t'as couché avec sa femme, pis qu'il aime pas ça, qu'il est pas content... Il peut prendre le couteau de cuisine pis en faire mauvais usage... Alors, ça dépend dans les mains de qui... Le bonheur, c'est pareil: avec des éléments pour fabriquer du bonheur, y a des gens qui se fabriquent les pires malheurs du monde.

R.F. – Y a-t-il un être humain à qui tu voudrais ressembler?

G.V. – Je voudrais ressembler à moi-même, ce qui est déjà de l'ouvrage, et je voudrais que ce moi-même ressemblât tellement à lui-même qu'on puisse pas le prendre comme modèle. Parce que ce serait trop compliqué. Devenir soi-même, avant d'essayer de devenir tout le monde. Autrement dit, le multiculturalisme, pour l'individu, c'est de la merde.

R.F. – Guerre et violence?

G.V. – Apparemment, c'est inscrit dans l'homme, mais je crois qu'il ne faut pas se résigner. C'est une facilité que de se résigner à tout ce qui est inscrit supposément dans l'homme. Y a des choses inscrites dans l'homme qui sont mauvaises. Faut les reconnaître comme mauvaises et essayer autant que possible de les extirper de l'homme, ou alors d'en minimiser les effets, les conséquences. Moi, je pense pas qu'on arrive un jour à l'abolition de toute contradiction entre les humains. Ce serait la platitude mortelle, ce serait l'ennui souverain, ce serait robotique. Si on veut avoir des humains, il faut s'attendre à avoir des erreurs. C'est ce que le robot, si tant est qu'il est capable de l'envier un jour, lui enviera. Les humains sont, la plupart du temps, plus intéressants par leurs erreurs que par leurs réussites. Parce qu'il arrive souvent que la marginalité fasse avancer... C'est toujours un perdant, dans les 99 % qui ont concouru, c'est toujours un perdant qui fait avancer l'humanité. C'est pas le premier arrivé. Généralement pas. Le premier arrivé, lui, aura fabriqué 99 perdants, ce qui est très inquiétant. C'est très lourd, et il s'apercevra, au bout du concours, que d'avoir gagné lui a fait perdre davantage que s'il eût perdu. On sait qu'on est gagnant et ce qu'on a gagné longtemps après le concours. Ce n'est pas à la fin du concours ou à l'issue de la course qu'on peut dire: «Je suis le premier, donc j'ai gagné». Je serais porté à dire: «Vous avez gagné quoi? Et vous avez perdu quoi?» Pense à Van Gogh! Connais-tu perdant moins gagnant que ça? Et pourtant... il en a fabriqué... un peu... des gagnants, par la suite. Si on fait le bilan, on s'aperçoit que c'est l'un des perdants qui aura été marginal, peut-être le dernier, qui aura décidé en plein milieu de la course que c'était idiot de courir ainsi et qu'il se sera arrêté pour regarder passer les autres, qui fera avancer l'humanité par sa pensée, sa réflexion, et peut-être simplement par son refus de la compétition, son refus de concourir. Les contradictions sont les moteurs. Là où y a une contradiction, y a un moteur. *Move! Movere!*

R.F. – Oui, et on en vient à la pensée d'Héraclite que j'aime beaucoup: «Ce qui est contraire est utile et c'est de la lutte que vient la plus belle harmonie. Tout se fait par discorde.» C'est en y pensant que je t'avais posé cette question, et là tu viens de dire à peu près la même chose. La civilisation... En Grèce, même à l'époque dite classique, on exposait les enfants difformes à l'extérieur de la ville pour qu'ils soient recueillis ou dévorés par les fauves. Aristote, le grand penseur de nos maîtres, préférait l'avortement à l'exposition, apparemment, mais il demandait avec force une loi interdisant d'élever les enfants difformes...

G.V. – Ce qui est très très inquiétant chez les humains en général, c'est leur aptitude naturelle au fascisme, donc à se prendre pour ce qu'ils ne sont pas. Dieu, entre autres. L'humain, dès qu'il acquiert un petit peu de pouvoir, triche par la simple parole, se prend un petit peu pour le bon Dieu des autres, et commence à édicter des lois. Il a besoin, avant de dicter des lois, de regarder attentivement celles qui le régissent lui-même. Et il ne s'attarde pas assez. On peut reprocher à Aristote, Platon, Sénèque et autres gens de cet acabit de ne pas s'être regardés soi-même, *Gnoti se auton*, «Maudit c'est l'automne!», disait l'autre en traduisant. L'humain est paresseux. C'est un humain qui le dit et il en connaît un rayon là-dessus. Il choisit le chemin le plus facile. Il est simplificateur. Le plus grand simplificateur que j'ai vu dans ma vie, je crois que c'est Hitler. Lui, comme simplificateur, c'est pas mal, tu vois, il a dit: «Tout ça, c'est la faute d'un peuple. Exterminons ce peuple et le bonheur sera là.»

R.F. – Oui, c'est la solution simple... Toutes les solutions simples sont violentes: t'as mal à la tête, tu coupes la tête...

G.V. – Oui. Les grands simplificateurs... C'était de la simplification, et c'était la fuite du problème que de dire: «Les enfants infirmes, exposez-les au soleil ou au four, au malheur de la planète, pour qu'on soit débarrassés du problème!» C'était une fuite. Ce n'était pas un raisonnement profond. Il me semble que, puisqu'on cite des philosophes, ça a manqué de philosophie, c'est-à-dire d'amour-passion de la sagesse. On voulait certainement résoudre vite des problèmes, et résoudre des problèmes si complexes, qui sont encore à résoudre. L'humanité est rendue ici: on laisse, comme humanité, mourir un demi-million de personnes au Rwanda ou ailleurs. Et on va dépenser ce que ça aurait coûté pour les sauver pour sauver un enfant, ou deux, ou trois, qui a une certaine déficience grave et qui va de toute façon faire un être avec une qualité de vie absolument hypothétique. Je dis pas qu'il faut pas le sauver, mais je dis que tout ça manque de mesure. Ça manque de réflexion, ça manque de philosophie... voilà le problème. Je me suis mal exprimé en première position, on va passer en deuxième position et on va dire que le problème, il est dans l'appréciation du temps et la hâte de tout faire le jour même. Mon père m'avait dit, quand je suis arrivé en ville: «Essaye pas de voir toute la ville le même jour! Tu y arriveras pas, tu vas être ben fatigué, pis tu vas être déçu pareil.» Je dirais aujourd'hui que même

Natasquan, aller voir tout Natashquan en une journée, c'est compliqué. Si on veut en retirer quelque chose, il faut, il me semble, mettre du temps. Or, on fabrique des machines pour nous sauver du temps, nous économiser du temps. On fabrique des machines qui vont de plus en plus vite (sur l'eau, sur terre, sur mer). Mais est-ce que tout ça est chaque fois orienté, même par un petit côté, vers le bonheur? Voilà la question. On gagne en vitesse, sur les horloges, un temps qu'on mettrait à réfléchir aux conséquences de ces actes-là, de nos actes. Et de nos créations! On est dans un siècle où on est capables d'aller sur la Lune, c'est vrai, et à des vitesses absolument phénoménales, mais on est capables de s'appeler Aytonsena aussi! Et de se tuer contre un mur de pierre pour avoir été plus vite que l'autre. On est capables de faire ça, on est capables d'aller très très vite. Mais un enfant, même dans une éprouvette, c'est encore neuf mois!

R.F. – Les religions. Quel jugement portes-tu, sur la religion catholique, par exemple, dont nous avons été plus ou moins esclaves?

G.V. – C'était exagéré de jeter le petit Jésus avec l'eau du bain. C'était exagéré aussi de dire que la religion pouvait gérer toute notre vie, tous les détails de notre quotidien, humain et physique même. Si on a été si imbus, si adeptes de ces religions-là, que ce soit le shintoïsme, le bouddhisme ou les autres ismes, comme vous voudrez citer, c'est bien parce que ça nous convenait quelque part. Nous avions en nous des aptitudes, un terreau capable de cultiver ces graines-là et capable de les faire grandir. Les prêtres de toutes les religions savent ça, que dans le terreau humain y a de quoi pour faire pousser la religion.

R.F. – Ce qui fait probablement que les religions ont apporté beaucoup de civilisation...

G.V. – Absolument!

R.F. – Mais en même temps...

G.V. – Mais en même temps, le pouvoir... et des fois la barbarie.

R.F. – Et l'idéologie...

G.V. – Et l'homme... Ça se confond souvent. Ça se confond comme sujet et objet. Et l'homme est réconforté par la plupart des religions lorsqu'il pense à son origine et à son devenir. À ce qu'il a été, d'où il vient et où il va. La mort, c'est ce qui fait peur à tout le monde. Pas la mort des autres, sa propre mort. La mort de chacun fait peur à chacun. Et après, il arrive qu'on ait peur de la mort des autres, dans la mesure où ça nous rappelle la nôtre. Comme la mort fait peur à tout le monde, eh bien! la religion apporte à l'homme une espèce de réconfort temporaire, c'est le cas de le dire, et temporel. Ça... temporise.

R.F. – Tu voulais parler de la langue...

G.V. – Je voulais parler de la langue parce que, moi, je considère que toute la démarche souverainiste du Québec, même pour ceux qui ne le savent pas, roule sur la langue. C'est notre langue qui construit notre manière d'être, notre manière de faire et notre façon de vivre sur cette terre d'Amérique. Et qui la transforme d'une manière dont les autres langues ne la transforment pas. La langue, c'est une manière d'être, mais c'est surtout une manière de faire. On ne fait pas *wine* de la même manière qu'on fait *vin*. Et on ne fait pas *cheese* de la même façon qu'on fait *fromage*. C'est curieux, mais c'est comme ça dans le monde. On fait des betteraves ici, et on fait de la soupe de betteraves en Pologne qu'on appelle *bortsh*. Pis on fait mille choses d'une façon, ici, d'une certaine manière... ailleurs! Avec sensiblement les mêmes ingrédients, mais pas mélangés tout à fait pareillement. Cela fait que ça s'appelle pas pareil et le fait que ça s'appelle pas pareil, c'est très grave – au sens *gravis*, lourd, pesant, gravité. On impose une gravité aux mots et pas aux choses, parce que la gravité est dans les mots. Les mots ont des racines dans le ciel du passé, on pourrait dire. Ils imposent là où ils se posent une manière d'être aux choses qu'ils nomment. Les démarches souverainistes dans le monde sont toutes assises sur une norme. Ben des fois, ça a été assis apparemment rien que sur le commerce, mais le fait qu'on appelle *yen* quelque chose qui sonnerait comme *franc* ailleurs –

parce qu'il s'agit de l'argent – n'est pas indifférent. Ça donne un poids différent aux choses, ça donne un poids différent aux actions aussi, à l'activité humaine dans un territoire donné de la planète. La langue, c'est le pays, le véritable pays intérieur. C'est ce qu'un auteur-compositeur veut dire quand il dit, quel qu'il soit: «Il me reste un pays à connaître, c'est celui-là. Il me reste un pays à vivre, à conquérir, à faire, à fabriquer, à donner aussi.» La langue, c'est le pays du dedans et c'est le pays le plus grave à conserver, le plus grave à garder. Autrefois, les murs étaient les gardiens des mots. Aujourd'hui, les mots sont devenus les gardiens des murs pour moi. La langue, c'est le pays du dedans, beaucoup plus vaste d'ailleurs que le pays déterminé par un territoire où que ce soit au monde. La preuve, c'est ce qu'on appelle, avec un peu d'emphase des fois, un peu d'extravagance, pas assez de modestie toujours, c'est ce qu'on appelle aujourd'hui la francophonie. La francophonie, c'est plus grave que la francofolie. Mais l'une et l'autre se construisent et se nomment. Mais la francophonie, c'est un énorme territoire sur la planète. Le territoire du dedans des gens et qui les fait vivre d'une certaine manière, dans certains lieux de la Terre. Et pour moi, la langue est ce pourquoi on n'aura pas besoin de crever de faim pour avoir un pays, ni de verser le sang, à mon sens. C'est la raison pour laquelle on va combattre et conquérir un lieu qu'on a déjà conquis autrement, parce que le Québec est distinct, différent, indépendant. Dans les faits, dans la réalité quotidienne, c'est fait. Y a rien que deux ou trois machins commerciaux, d'ententes commerciales et de *business*, à régler et puis quelques copies à signer, c'est tout. Et puis, j'ai le grand regret que nous ne soyons pas encore, les Indiens du Québec et nous-mêmes, les Français d'Amérique, les francophones, sur une même longueur d'ondes pour comprendre notre histoire qui a été pleine d'erreurs des trois bords, surtout du nôtre, bien sûr, parce que nous étions les colonisateurs et eux les colonisés. Il reste qu'on a des grandes dettes peut-être, mais y a des réciprocités là-dedans à trouver. Y en a, ce n'est pas une illusion. Nous avons besoin de nous connaître davantage pour nous respecter davantage. Hélas! on ne peut pas refaire l'histoire. On devrait se contenter, toutes les fois qu'on en a l'occasion, de ne pas trop la répéter. Je souhaite que nous ayons des occasions de nous rencontrer avec les mots sur le territoire des langues que nous n'avons pas apprises, de celles qu'ils ont apprises, à peu près, et qu'un jour nous ayons en nous-mêmes la distinction faite évidemment des territoires intérieur et extérieur de l'homme. Nous avions énormément à apprendre les uns des autres... Mais les circonstances de religion et de commerce sur lesquelles s'est bâti le Canada... Parce que c'est ça, au fond. C'était basé sur du commerce, tout ça, mais avec la distinction que l'une des raisons pour lesquelles les Français partaient de France sur deux siècles et demi de colonisation n'étaient pas les mêmes que celles pour lesquelles les Anglais venaient ici. Les Anglais qui venaient ici rêvaient de retourner, riches, tandis que les Français qui venaient ici n'avaient pas le choix de retourner. À 80 %, c'était leur seule échappatoire. Parce que, pour partir comme ça, fallait qu'ils soient par définition des marginaux. Et c'étaient des marginaux qui partaient, et les marginaux sont des gens qui font avancer la société. Toujours. Ils sont la contradiction qui fabrique ici et là, à côté, des petits moteurs qui font avancer le monde. Comme le Québec aurait pu faire avancer le Canada. Il l'a fait longtemps, par sa seule contradiction. Par son seul être.

R.F. – As-tu encore envie de parler du nationalisme?

G.V. – Oui, parce que le nationalisme, c'est pour moi un outil. Mais c'est pour d'autres, je le sais, une arme. Dès qu'ils l'ont en main, ça devient une arme. C'est pas la majorité, ça. Il s'agit de quelques têtes un peu brûlées des fois, mais de quelques têtes avec ben du charisme et pas beaucoup de philosophie... pour saisir le couteau de cuisine qui est sur la table et qui est très coupant et s'en faire une arme, alors que moi je m'en sers pour couper le pain du jour. Si quelqu'un vient chez toi et puis que, juste comme il arrive, tu lui montres un couteau sur la table et tu lui dis: «Touche pas à ça s'il te plaît», il va avoir comme un doute sur les dangers qu'il court. Parce que tu le prends pour un assassin, que t'as peur, il va te dire: «Ben, as-tu peur que je m'en serve contre toi? D'ordinaire, je prends ça pour couper le pain.» Mais, c'est vrai, y a du monde qui prend ça pour assassiner! Le nationalisme, ce n'est qu'un couteau de cuisine, qu'un outil, et dans les mains de certains c'est un outil et ça demeure un outil, mais aux yeux de d'autres, ça a toujours l'air de l'arme du crime. Un nationalisme qui donne à une communauté, à un peuple, non seulement un sentiment d'existence mais des raisons d'être, d'être plus et d'être mieux, eh ben! c'est positif, c'est pas du tout à rejeter. À partir du moment où ça devient un moyen d'asservir les autres, eh ben! ça devient dangereux, mais ce n'est pas le nationalisme qui est dangereux, ce sont quelques individus qui, de temps en temps, s'en servent mal et par là le deviennent. Le nationalisme, c'est très sain. Y en a partout et c'est fort heureux, et c'est ce qui fait que l'Europe est en train, par exemple, de devenir l'Europe sans qu'un Français devienne un Allemand ou un Anglais.

R.F. – Tu voulais aussi parler de l'écriture pour enfants...

G.V. – J'écris de plus en plus en vue d'être lu par les enfants. Lu et écouté. J'avais répondu en boutade à un jeune journaliste qui m'avait posé la question: «Pourquoi écrivez-vous pour les enfants?» J'ai dit: «C'est parce que j'ai essayé pour les adultes.» J'ai essayé, ça veut dire que y a de ma faute là-dedans, j'ai pas assez écrit et j'ai pas assez bien écrit pour les adultes, peut-être. Mais mon intention, ce que je voulais dire par là, c'était plutôt que, quand on s'adresse aux enfants, on s'adresse à son propre devenir, à son propre avenir. Un enfant à qui vous contez un conte et qui le retient jusqu'à la fin de ses jours – cela arrive, moi j'ai eu des contes qui me furent contés et que je connais encore, qui me furent contés tout petit, des histoires, et ce sont des histoires qui m'ont marqué et qui m'ont fait ce que je suis – donc, quand on conte une histoire à un enfant, on conte une histoire avec une vie possible de 80 ans. C'est très intéressant. Alors que si on conte la même histoire à quelqu'un qui a 80 ans, on a une histoire d'une vie possible d'une dizaine d'années... en se vantant. Donc, on s'adresse avec les enfants à son propre devenir et puis – on parlait de langue tout à l'heure – les mots nous fabriquent. On fabrique, on participe un peu à la facture de celui à qui on conte quand on conte à un enfant. Et ça dépend de ce qu'on lui conte, et c'est là que la responsabilité intervient. On ne raconte pas n'importe quoi. Et surtout, on ne raconte pas en termes gagas. En termes de papa, caca, pipi, bobo. On raconte comme si l'enfant était un adulte ou presque. C'est-à-dire qu'on le respecte en lui tenant un langage d'adulte. Faut jamais oublier que quand les enfants dessinent, ils rêvent de dessiner aussi parfaitement que Colville. Ils ne rêvent pas de faire des barbots. Ils ne rêvent pas de faire des bonshommes avec les pattes pis les jambes tout croches. L'enfant rêve de faire presque une photographie. Une représentation la plus parfaite possible, c'est de ça qu'il serait le plus parfaitement satisfait. L'enfant est très rarement satisfait de son dessin. Il est très inquiet. Et c'est pourquoi il faut raconter à l'enfant une vraie histoire, avec du vrai monde et des vrais mots. Et ne pas faire d'infantilité.

R.F. – Ce que tu es en train de dire, évidemment, c'est qu'il ne faut pas être _politically correct_ avec les enfants...

G.V. – Pas du tout!

R.F.– Pas plus qu'avec les adultes...

G.V. – Ouais... Soi-même, tel qu'on est capable d'être au maximum. Faut leur proposer le meilleur et pas une version édulcorée des choses.

R.F.– Dans le même ordre d'idées, je voudrais savoir quelle est, pour toi, l'importance des mythologies.

G.V. – Les mythologies, on s'en fait tous les jours. Ce qui tend à prouver que c'est extrêmement précieux. Nous avons besoin de ce rêve éveillé. Nous avons besoin d'exemples et de modèles, peut-être. Nous avons peut-être plus besoin encore d'espèces de mondes, d'univers idéaux, impossibles aussi et que nous avons au cours des millénaires fabriqués de toutes pièces dans tellement de cas. Ça nous donne une espèce de prise aléatoire et très fugace sur l'inconnu qu'est l'univers d'après la mort et peut-être celui d'avant la naissance. Pour moi, la mythologie, c'est une façon sage et populaire de faire alliance avec l'inconscient.

R.F.– Qu'est-ce qui te ferait pleurer aujourd'hui?

G.V. – Haïti. C'est un exemple...

R.F.– On a vécu toute notre enfance et notre adolescence avec le bon Dieu à barbe blanche, créateur du monde et de l'homme. Pour moi, tout ça, c'est renversé. Toi, où en es-tu?

G.V. – Tu veux dire...

R.F.– C'est l'homme qui a créé Dieu! À partir de là, il y a certains problèmes qui sont résolus... C'est l'homme qui, dans un moment de terreur sacrée, quand il est devenu conscient, il y a très longtemps, a eu besoin d'avoir recours à un être tout-puissant. Alors, il y a eu l'animisme, puis les mythologies anthropomorphiques...

G.V. – Oui... Je crois surtout que la foi constitue un véhicule de pensée. Un terrain de pensée, ce serait mieux dit. Très intéressant. Intéressant par le seul fait qu'il y ait quelque part chez les individus la foi. Ça, c'est intéressant à fouiller. Et on ne saura pas tout de suite si ce dans quoi on est en train de fouiller, c'est Dieu, la foi ou celui qui a la foi. En quoi que ce soit, d'ailleurs. Moi, j'ai des fois plusieurs fois. J'en ai eu pendant longtemps une seule. Puis, j'en suis venu à en avoir plusieurs, à voir peut-être des reflets de la première chez mes contemporains. Il me semble qu'il y a au-dessus de nous autres – au-dessus, en dessous, autour –, peut-être en nous autres, y a encore en nous des régions que nous ne connaissons pas. Ce sont toujours les plus intéressantes au départ. Il me semble qu'il y a ailleurs plein de choses dont nous ne savons encore strictement rien et sur lesquelles, de temps en temps, un savant, un poète, un saint ou un naïf élabore comme s'il y était allé en personne. Ça me fait sourire, mais je trouve quand même cette aventure belle, noble et passionnante. Et la recherche de ce... qui nous recherche peut-être...

R.F. – La recherche de ce qui nous recherche peut-être?

G.V. – De ce qui est peut-être en train de nous rechercher. Je ne trouve pas ça négligeable, et je trouve le pari intéressant de me dire qu'après la mort, s'il n'y a rien, je ne m'en apercevrai pas. Et s'il y a quelque chose, gaiement la joyeuse surprise! Amenez-en! Bienvenue, la surprise!

R.F. – La compétition...

G.V. – Eh ben! je pense à l'école quand j'entends le mot *compétition*. Je pense à l'éducation. Ça me fait pleurer encore de voir, sur 100 jeunes personnes, un gagnant ou une gagnante qui fabrique, à son insu, sans le vouloir, 99 perdants. Et ça arrive toutes les fois que quelqu'un est le meilleur, a l'air d'être le meilleur, arrive le premier. Tous ceux qui sont à l'arrière sont des perdants. Le gagnant fabrique des perdants... Mais c'est pas lui, c'est la compétition. On est toujours dans un système compétitif. Et on s'est fait jouer un tour par nos machines, qui pensent apparemment - apparemment, parce que c'est de la mémorisation - qui mémorisent à des vitesses phénoménales par rapport à l'humain ordinaire. Alors, la vitesse est devenue une valeur en soi, un étalon de mesure et, dans certains cas, un critère si violent que c'est le seul critère, même en éducation. Dans les sports, c'est le critère, mais si on applique ces manières de penser, de voir, de faire, à l'éducation, eh ben! on fait face à des étudiants qui parfois sont, une fois par siècle, Einstein, une fois par-ci par-là, Bach ou Mozart. Mais, actuellement, on leur met l'étalon vitesse et ils ne valent plus rien. Et ils deviennent des retardés... mentaux, parce que des retardataires. Or, la vitesse de la pensée n'est pas du tout un critère de la justesse de la pensée, il va sans dire, et on se fait jouer ce tour qu'en éducation la vitesse d'un ordinateur ou d'une mécanique augmente la vitesse électronique qu'on exige d'un élève. La ressemblance avec la vitesse électronique qu'on exige d'un élève fait que cet élève-là devient un perdant, un incapable, quelqu'un qui a l'air de retarder les autres alors que c'est lui, des fois tout seul, qui a le pas. La célèbre phrase de la maman qui dit: «Regarde mon fils qui passe dans le régiment, c'est le seul qui a le pas!» Eh ben! des fois, c'est vrai. Parce que les véritables retards, dans l'éducation, ils ne se font pas par manque de mémoire, ils se font par manque d'imagination et de réflexion, donc de temps donné ou pris pour faire des choses. Je voulais ajouter sur la langue que la langue, c'est le moyen, l'outil le plus précieux pour nommer, donc refaire et donc changer le monde, l'Univers autour de soi. La langue, les mots nomment les choses et, à un moment donné, ils finissent, en les nommant, par les fabriquer. Et ça m'inquiéterait gravement de voir un jour la planète entière parler une langue, que ce soit l'anglais ou le chinois. Ça voudrait dire qu'on n'a plus qu'une façon, qu'un outil pour refaire le monde, pour le repenser, pour corriger ce qu'on a fait hier. Et ça voudrait dire à tout jamais l'ennui profond de l'uniformité sur la planète. C'est pourquoi les langues différentes, dans leur différence, dans leur dissemblance, dans leur dissonance, sont si précieuses pour refaire le monde tous les jours, et Dieu sait s'il est à refaire. Puis-je ajouter, en parlant pédagogie quelques secondes, que je reste songeur devant les ornières du ludisme à tout prix dans lesquelles s'enlise l'enseignement au primaire? À mon sens, c'est tout près d'être malhonnête envers l'enfant que de lui laisser entendre que les études et les travaux à l'école seront toujours un jeu. Apprendre le français et tout le reste, c'est un gros travail. Et je refuse de laisser croire à l'enfant que ce n'est qu'un jeu comme un autre. Les études correspondent toujours, à tout âge et à tous les paliers, à une tâche ardue d'où l'agrément n'est pas toujours exclu mais dont l'accomplissement est aussi complexe et difficile que n'importe quel travail d'adulte, toutes choses comparées. Ce n'est que justice que l'enfant en soit informé de temps à autre. À certains carrefours surtout.

Voilà où nous en sommes depuis ce moment où je l'ai soulevé d'un coup d'épaule pour l'envoyer se cogner la tête dans la bande de la patinoire, il y a... très longtemps. Depuis quelques mois, il m'arrive souvent de chantonner:

Larguez les amarres,
On est embarqués...

Ciel, à mon âge! Pour où pars-je?
Le vrai mot de la fin: Chaque fois que je vois le soleil se lever, il me vient à l'esprit que la vie est horriblement belle...

Épilogue
de la présente édition

Voici un verre du dernier cru, le Vigneault nouveau. En le dégustant à petites gorgées, vous constaterez qu'on est loin du poète qui sculptait des sonnets au Petit Séminaire de Rimouski...

Un métier

S'agit-il de rendre visible
L'espace qu'on a pris pour cible
Entre les mots naître *et* mourir
Et que le chasseur fasse flèche
De tout cri? Et que s'effiloche
Le rideau qui cachait un mur?
Ce sont des mots que l'eau murmure
Et qu'on a pris souvent pour des poissons,
Pour des oiseaux et tous les usagers de la
mer et du vent. Mais, posons d'abord, tout
en haut de la page ou du tableau: L'ENFANT.
Son bâton et son baluchon. Il a sept ans,
vingt ans, cinquante. Il marche seul. Il
ne sait pas pourquoi il chante. Mais comme
il chante, l'air est tout plein de son chant.
Et le voici parti, de par les bois, les champs
Au gré d'un mot qui fait tout un essaim d'abeilles
Et fait danser le jour au-dessus du fossé
Le miel et le soleil savent bien ce que c'est
Mais l'enfant marche, il suit le fil de son oreille

Il a déjà trois ans de plus qu'à son départ.
Marchent à ses côtés le rêve et le hasard.
Et voici qu'un peu d'air s'échappe de ses lèvres
gourmandes. Ça goûte l'âme un peu. Le sel aussi.
Comme les mots, avec les formes diversement rondes
ne sont pas encore là, il siffle. Comme un oiseau.
Ce simple fil de chant appelle les mots. Vivre est
un mot trop long et mou et qui prend plusieurs formes
à la fois. Il se module et se modèle à tous les autres.
Le caillou, le brin d'herbe et l'arbre et la clôture
aussi. Et le chemin lui-même. Et fait un vêtement de
lumière à l'enfant qui pose un pas tout frais dans les
eaux du matin.
S'agit-il de rendre palpable
Le temps et son fardeau de fables
Entre les mots vivre et vieillir?
Et que le chasseur soit sa flèche
Et son œil et son doigt qui flanche
Au moment de tuer le mot DÉSIR...
D'une indifférente arbalète?... Le jeu commence
à vrai dire et l'enfant n'en sait rien sauf
que le jeu l'amuse, sur quoi sa réflexion très
décousue ne saurait s'attarder. Il marche. Il
a chanté, il siffle... dans la nécessité de
l'instant. Il n'est plus là que pour lui-même.
Et pour ce merle peut-être qui vient de se poser
sur ce piquet. Le piquet soudain s'envole et le
merle reste là sans s'étonner. Dans le temps bref
de son ascension cet ancien arbre, le piquet retrouve
une à une ses feuilles et ses racines une à une lui
reviennent.
Le merle siffle et l'enfant chante.
Et tout a lieu en même temps.
Il trouve les mots qui le hantent
Depuis ce matin de printemps.
Le fossé d'hier est un fleuve
Et qui raconte d'une eau neuve
Les travaux secrets de l'hiver.

La chanson de l'enfant navigue
Entre la complainte et la gigue
Entre le ciel trop bleu et l'océan trop vert
De l'herbe, au bout d'un champ qui joue à l'horizon...
D'un peu de sang, le soir propose... la maison.
L'enfant rentre... il est tant chargé de fruits si denses...
Que la maison ne pourra plus le contenir...
Et l'on verra sortir de toutes ses fenêtres
Et de toutes ses portes, sans le bris d'une vitre
Des branches, du feuillage et mille fruits divers...
Il s'agissait ici d'avaler l'univers
Pour le chanter, le refaire et l'habiter.
L'enfant silencieux est un arbre qui danse...

Saint-Placide, en octobre 1994.

Le 22 janvier 1995.

Mon cher Roger,

En comparant la photographie que tu pris de nous il y a quelque 20 ans et celle que tu t'apprêtes à montrer aux gens d'aujourd'hui, je m'aperçois de quelques cheveux en moins et de quelques rides en plus, mais je crois qu'il y a toujours de quoi nous reconnaître.

Dans ce mot-là, il y a connaître et naître. La jeunesse est un projet que j'ai toujours. Et publier porte à l'orgueil tandis qu'écrire force à l'humilité. Méfions-nous du premier et reconnaissons l'autre. Je te promets de te faxer quelques lettres à condition que tu les laisses pâlir à la lumière du temps qui passe pour s'effacer tout à fait à la longue et laisser à notre seule mémoire le choix des rares pensées à retenir.

Savoir changer de peau sans mépriser l'ancienne mais sans non plus s'en faire un manteau, un drapeau, voilà notre travail et ma vie quotidienne.

Salue bien Alain de ma part.

À tantôt.

Ton ami de toujours.

Chronologie

1928   • Le 27 octobre, Gilles Vigneault naît à Natashquan, sur la basse côte Nord du Saint-Laurent, de Willie Vigneault, inspecteur des pêcheries, et de Marie Landry, institutrice.

1941-1953   • Études au Petit Séminaire de Rimouski.
• Études de lettres à l'Université Laval, à Québec, où il obtient une licence en 1953.

1953-1958   • Gilles Vigneault exerce plusieurs métiers: transcripteur de contes et de chansons aux Archives du Folklore de l'Université Laval, professeur d'anglais et de mathématiques pour les soldats de Valcartier, scripteur et animateur à la radio, rédacteur de messages publicitaires, comédien, directeur de troupe théâtrale, monologuiste dans les petits théâtres de Québec...

1955   • Premier mariage, à Rachel Cloutier, à Québec. Quatre enfants en naîtront: Michel, Louis, François et Pascale.

1959   • Enregistrement par Jacques Labrecque de l'une des premières chansons de Gilles Vigneault: *Jos Monferrand*.
• *Étraves* (poèmes), Éditions de l'Arc, collection de l'Escarfel, Québec. Réédité 8 fois.
• *La Canne à pêche* (film), Fernand Dansereau, ONF.

1960   • Début juillet, fondation de *La Boîte aux Chansons* à Québec, avec Marie Savard, Jean Leblond, Pierre Desrosiers, Yves Roberge, Yvon Bélanger et Claude Fleury.
• Le 5 août, premier spectacle à *La Boîte aux Chansons* de la rue Saint-Jean à Québec. Vigneault y fait connaître ses premières compositions: *Jean du Sud*, *Jos Hébert* et *La Danse à Saint-Dilon*.
• Le 21 octobre, Gilles Vigneault partage la scène lors d'un concert avec Félix Leclerc à Rimouski.
• *Contes sur la pointe des pieds* (contes), Éditions de l'Arc, collection de l'Escarfel, Québec. Réédité 7 fois.

1961   • Spectacle à *La Butte à Mathieu*, à Val-David, avec Félix Leclerc.

- Le 18 juillet, 3 000 personnes assistent à son spectacle au mont des Roses.
- Premiers spectacles en solo au *Gesù*, à Montréal.
- *Les Bacheliers de la cinquième* (film), Clément Perron et François Séguillon, ONF.

1962
- Les 27 et 28 janvier, succès au *Plateau*, à Montréal.
- *Gilles Vigneault* (disque), Gaston Rochon, Columbia FS 538.
- Repris sous le titre *Jack Monoloy*, Harmonie KHF 90082-Columbia.
- Lauréat de l'année au IIIe Congrès du spectacle.

1963
- Premiers spectacles à *La Comédie-Canadienne*.
- *Gilles Vigneault chante et récite. Vol. II* (disque), Gaston Rochon, Columbia FS 544.
- Repris sous le titre *Chansons et Poèmes 1963*, Harmonie KHF 90211-Columbia.
- Grand Prix du Disque: voyage de trois semaines à Paris.

1964
- Une semaine de spectacles à *La Comédie-Canadienne*. Rencontre Alison, qui sera sa deuxième épouse. Gilles Vigneault crée *Mon pays*, qui connaît un succès immédiat.
- *Balises* (poèmes), Éditions de l'Arc, collection de l'Escarfel, Québec. Réédité 9 fois.
- *Avec les vieux mots-* (paroles de chansons), Éditions de l'Arc, collection de l'Escarfel, Québec. Réédité 4 fois.
- *La Terre à boire* (film), Jean-Paul Bernier, Les films du nouveau Québec.

1965
- Premier spectacle à Paris.
- *Pour une soirée de chansons* (monologues et chansons), Éditions de l'Arc, collection de l'Escarfel, Québec.
- *Quand les bateaux s'en vont* (paroles de chansons), Éditions de l'Arc, collection de l'Escarfel, Québec.
- *Gilles Vigneault à La Comédie-Canadienne* (disque), Gaston Rochon, Columbia FS 632.
- Repris sous le titre *Récital à La Comédie-Canadienne*, Harmonie KHF 90233-Columbia.
- *Poussière sur la ville* (film), Arthur Lamothe, Coopératio Inc. et Société générale cinématographique.
- *La neige a fondu sur Manicouagan* (film), Arthur Lamothe, ONF.
- Nommé meilleur chansonnier de l'année au Congrès du spectacle.
- *Mon pays* remporte le premier prix (valeur des chansons) à Sopot.
- Prix Félix Leclerc pour *Mon pays*.
- Prix du Gouverneur général du Canada.

1966	• Spectacles (3 semaines) à *Bobino*, à Paris.

1966 • Spectacles (3 semaines) à *Bobino*, à Paris.
• Spectacles (3 semaines) à *La Comédie-Canadienne*.
• *Contes du coin de l'œil* (contes), Éditions de l'Arc, collection de l'Escarfel, Québec.
• *Où la lumière chante* (poèmes), Les Presses de l'Université Laval, Québec.
• *Mon pays* (disque), Gaston Rochon, Columbia FS 634.
• *Gilles Vigneault enregistre à Paris* (disque au tirage limité), Columbia FL 348.
• *Bobino, 3 octobre 1966* (disque), Gaston Rochon, CBS 223.
• *C'est le temps* (disque), Gaston Rochon, CBS GFS 90125.
• *CKAC présente les chansons d'or du Québec* (disque), DEF 1000.
• *Jack Monoloy* (ballet), création de George Reich pour un spectacle à *La Comédie-Canadienne*.
• *La Corriveau* (ballet), création de Brydon Paige, des Grands Ballets Canadiens, pour un spectacle à la *Place des Arts*, sur une musique de Gilles Vigneault et Alexander Brott.
• Prix du Lieutenant-Gouverneur pour *Quand les bateaux s'en vont*.
• Prix Calixa-Lavallée pour services rendus à la cause des Canadiens français.
• Prix Orange.

1967 • Série de spectacles avec Claude Dubois et Raymond Lévesque à *La Comédie-Canadienne*.
• Spectacle *Vive le Québec!* à l'Olympia de Paris.
• *Les Gens de mon pays* (paroles de chansons), Éditions de l'Arc, collection de l'Escarfel, Québec. Réédité 4 fois.
• *Tam ti di lam* (paroles de chansons), Éditions de l'Arc, collection de l'Escarfel, Québec.
• *La Manikoutai* (disque), Gaston Rochon et Marc Bélanger, CBS FS 652.
• *Ce soir-là, Gilles Vigneault* (film), Arthur Lamothe, Société générale cinématographique et Omniart.
• *Te retrouver Québec* (film), Richard Lavoie, Ville de Québec, Comité du Centenaire, Expo 67 et Commission des sites et monuments historiques.
• *Hélicoptère Canada* (film), Eugène Boyko, ONF pour la Commission du Centenaire.
• *Canada: altitude 1967* (film), ONF pour la Commission du Centenaire.
• *Mon pays* (film-boucle), Arthur Lamothe pour le pavillon de Radio-Canda à Expo 67.

1968	• Tournée de spectacles en Suisse, en Belgique et au Luxembourg, en première partie de Serge Reggiani (30 villes).
	• *Le Nord du nord* (disque), Gaston Rochon et Marc Bélanger, CBS FS 681.
	• *La Manikoutai* (disque), Gaston Rochon et Marc Bélanger, CBS 63302.
1969	• Tournée de spectacles en France et en Suisse.
	• *Les Voyageurs* (disque), Gaston Rochon, Marc Bélanger et Vic Angelillo, CBS.
	• *Du milieu du pont* (disque), Gaston Rochon, Marc Bélanger et Vic Angelillo, ESX 7050.
	• *Les Canots de glace* (film), Jean-Claude Labrecque, Office du film du Québec pour le ministère du Tourisme, de la Chasse et de la Pêche.
1970	• Spectacles (3 semaines) à *Bobino*, à Paris.
	• Spectacles à la *Place des Arts,* à Montréal.
	• *Ce que je dis c'est en passant* (paroles de chansons), Éditions de l'Arc, Québec.
	• *Les Dicts du voyageur sédentaire* (contes), Éditions des Egraz, Yverdon.
	• *Le Nord du nord* (disque), Gaston Rochon, Marc Bélanger et Vic Angelillo, CBS S 63634.
	• *Le Voyageur sédentaire* (disque), Gaston Rochon, ESX 70502.
	• *Musicorama Gilles Vigneault. Théâtre de l'Olympia* (disque), Gaston Rochon.
	• *Act of the hearth* (*Acte du cœur*) (film), Paul Almond, Quest Film Productions Ltd.
	• Prix de l'Académie Charles-Cros pour l'album *Du milieu du pont.*
1971	• *Exergues* (poèmes et chansons), Les Nouvelles Éditions de l'Arc, Montréal.
	• *Le Temps qu'il fait sur mon pays* (disque), Gaston Rochon, Marc Bélanger et Vic Angelillo, GVN-1000.
	• Repris sous le titre *Gilles Vigneault*, GVN -1003
	• Prix Hommage des Festivals du Québec.
1972	• Spectacles au *Théâtre de la Renaissance*, à Paris.
	• Spectacles (3 semaines) à *La Comédie-Canadienne.*
	• *Les Chansonniers du Québec* (disque), Gaston Rochon, Radio-Canada International.
	• *Les Grands Succès de Gilles Vigneault* (disque), Gaston Rochon, CBS GFS 90003.
	• *Poèmes et Chants de la résistance 2* (disque), RE-604.
	• *Qui êtes-vous Gilles Vigneault?* (disque), Gaston Rochon, Radio-Canada International, F-678.

	• *Miroir de Gilles Vigneault* (film), Roger Fournier, Société Radio-Canada.
	• Prix Orange.
1973	• Spectacles à la *Place des Arts*, à Montréal.
	• Spectacles (3 semaines) à *La Comédie-Canadienne*.
	• *Les Neufs Couplets* (paroles de chansons), Les Nouvelles Éditions de l'Arc, Montréal.
	• *Why I sing... The Words and Music of Gilles Vigneault* (film), John Howe, ONF.
1974	• Le 13 août, participation à la Superfrancofête aux côtés de Félix Leclerc et Robert Charlebois.
	• Spectacles (3 semaines) à *La Comédie-Canadienne*.
	• *Gilles Vigneault* (disque), Sibécar, Paris.
	• *Je vous entends rêver* (paroles de chansons), Les Nouvelles Éditions de l'Arc, Montréal.
	• *Gilles Vigneault. Enregistrement public au Théâtre du Nouveau Monde* (disque), Gaston Rochon, GVN 1005.
	• *Le Québec en chansons, Gilles Vigneault et d'autres* (disque), CBS 80376.
	• *Tam ti delam* (ballet), création de Brian MacDonald pour Les Grands Ballets Canadiens.
1975	• Inauguration de la chanson *Gens du pays* avec Yvon Deschamps et Louise Forestier dans le cadre du spectacle *Happy Birthday* sur les flancs du mont Royal.
	• *J'ai vu le loup le renard et le lion* (disque), Les Productions du 13 août, VLC 13.
	• *Septième anniversaire de CFGL, le FM qui parle et qui chante. Le Fan Club de Mozart présente* (disque), FAN 15501.
	• *Le Monde s'en vient à Québec* (film), Richard Sadler, ONF et ministère des Affaires extérieures du Canada.
	• *Franc Jeu* (film), Richard Lavoie, Office du film du Québec et ministère des Affaires culturelles du Québec.
	• *La Feuille d'érable* (film), Onyx Films Inc, Télévision de Radio-Canada avec France, Belgique, Suisse et Société Nouvelle Pathé-Cinéma.
	• Doctorat honorifique décerné par l'Université Trent de Peterborough (Ontario).
1976	• Spectacle *Une fois cinq* avec Robert Charlebois, Yvon Deschamps, Jean-Pierre Ferland et Claude Léveillée.
	• *Natashquan – Le Voyage immobile* (paroles de chansons), Les éditions internationales Alain Stanké et Les Nouvelles Éditions de l'Arc, Montréal.
	• *Une fois cinq* (disque), avec Robert Charlebois, Yvon Deschamps, Jean-Pierre Ferland et Claude Léveillée.
1977	• Spectacles (6 semaines) à *Bobino,* à Paris.

	• *Gilles Vigneault. J'ai planté un chêne* (disque), Gaston Rochon, GVN 1007/KD.
	• *Comment vous donner des nouvelles* (disque), Gaston Rochon, GVN 1008/09/KD.
1978	• *Silences 1975-1977* (poèmes), Les Nouvelles Éditions de l'Arc, Montréal.
	• *Comment vous donner des nouvelles* (disque), Gaston Rochon, GVN 1010/KD.
1979	• *Les Quatres Saisons de Piquot* (livre-disque pour enfants), Les Nouvelles Éditions de l'Arc, Montréal.
	• *La Petite Heure 1959-1979* (contes), Les Nouvelles Éditions de l'Arc, Montréal.
	• *Avec les mots du dimanche* (disque), Robert Bibeau, GVN 1011/12.
	• Doctorat honorifique décerné par l'Université du Québec à Rimouski.
1980	• Début des récitals-forum (rencontres avec des étudiants). Accompagné de son pianiste Robert Bibeau, Gilles Vigneault se produit (jusqu'en 1984) dans 30 institutions et 3 universités.
	• *Je vous entends chanter* (disque), Robert Bibeau, KD 507/508.
	• Prix Alvine-Bélisle pour le livre-disque pour enfants *Les Quatre Saisons de Piquot*.
	• Membre honoraire de l'Association américaine des professeurs de français.
1981	• *Quelques pas dans l'univers d'Éva* (livre-disque pour enfants), Les Nouvelles Éditions de l'Arc, Montréal.
	• Doctorat honorifique décerné par l'Université de Montréal.
1982	• Prix Molson du Conseil des Arts du Canada.
1984	• Prix *In Honorem* de l'Académie Charles-Cros pour ses deux enregistrements: *Les Quatre Saisons de Piquot* et *Quelques pas dans l'univers d'Éva*.
1985	• Spectacle *Le Temps de dire* (4 semaines), au *Déjazet*, à Paris, puis à Montréal et en tournée dans une centaine de villes.
	• Chevalier de l'Ordre national du Québec.
	• Chevalier de l'Ordre national de la Légion d'honneur.
	• Doctorat honorifique de l'Université York à Toronto.
1987	• Spectacle *Le Temps de dire* au *Déjazet*, à Paris.
	• Prix Génie de la meilleure chanson pour *Les Îles de l'enfance*, dans le film *Équinoxe*.
	• Prix de la plus belle chanson française d'ici (*Mon pays* et *Gens du pays*).

	• Médaille Jacques-Blanchet de la Société Saint-Jean-Baptiste.
1988	• Spectacle *Le Temps de dire* au *Théâtre du Nouveau Monde*, à Montréal, puis tournée dans tout le Québec.
	• Doctorat honorifique de l'Université Laval, Québec.
	• Prix Henri-Jousselin.
	• Médaille Gloire de l'Escolle, de l'Université Laval, Québec.
1989	• Spectacle aux Choralies de Vaison-la-Romaine, en France, avec 4 000 choristes.
1990	• Célèbre ses 30 ans de chanson.
	• Insigne d'Officier des Arts et Lettres.
	• Médaille de Vermeil de la Ville de Paris.
1992	• *Bois de marée* (journal fictif), Les Nouvelles Éditions de l'Arc, Montréal.
1993	• *Le Monde s'en vient à Québec* (film), Michel Moreau.
	• *Léo et les presqu'îles* (livre-cassette pour enfants), Les Nouvelles Éditions de l'Arc, Montréal.
1994	• *Gaya et le Petit Désert* (livre-cassette pour enfants), Les Nouvelles Éditions de l'Arc, Montréal.
	• Spectacles au Québec, en France et en Suisse.
	• Personnalité Richelieu.

Table des matières